CYFROLAU CENED

Golygydd y gyfres: Dafydd Gly

EMRYS AP IWAN:
BREUDDWYD PABYDD WRTH EI EWYLLYS

Brodor o Abergele yn Sir Ddinbych oedd ROBERT AMBROSE
JONES (EMRYS AP IWAN) (1848-1906). Yn fab i arddwr, o linach
o arddwyr, bu'n arddwr ei hun cyn ymroi i geisio addysg ac i'w baratoi
ei hun ar gyfer y weinidogaeth. Wedi cwblhau ei gwrs yng ngholeg
y Methodistiaid Calfinaidd yn y Bala, cafodd gyfle amheuthun, drwy
gefnogaeth cyfeillion a thrwy ei gynnal ei hun fel athro Saesneg, i deithio
a byw yn Ffrainc, yr Almaen a'r Swistir, dysgu ieithoedd a dod i adnabod
bywyd a llenyddiaethau pobloedd y Cyfandir. Rhoes hyn iddo ogwydd
newydd, a gwahanol i'r rhelyw, ar lenyddiaeth Cymru, ei gwleidyddiaeth
a'i holl fywyd. Credai Emrys ap Iwan y traddodiad teuluol fod un o'i
hen neiniau yn Ffrances; ymfalchïai yn y dafn o 'waed estron' a roddai
iddo ryw annibyniaeth wrth gyfarch ei gyd-Gymry. Profwyd bellach
mai un o Gernyw oedd yr hen nain hon. Pan roes ef ei enw ymlaen
i'w ordeinio'n weinidog ym 1881 bu helynt enbyd yng Nghymdeithasfa
Llanidloes oherwydd ei ymgyrch bersonol yn erbyn polisi'r 'Hen Gorff'
o agor achosion Saesneg. Gwrthodwyd ei ordeinio, ac enynnwyd llid ei
hen brifathro, Dr. Lewis Edwards, yn ei erbyn. Yng Nghymdeithasfa'r
Wyddgrug ymhen dwy flynedd newidiwyd y penderfyniad ar ôl dwys
drafod. Treuliodd weddill ei yrfa fel gweinidog ar eglwysi yn Nyffryn
Clwyd, gan barhau i gyfrannu'n doreithiog i'r wasg Gymraeg ar bynciau
iaith, llên a gwleidyddiaeth. Achosodd gynnwrf ofnadwy eto ym 1889
drwy wrthod rhoi tystiolaeth yn Saesneg mewn llys barn. Anfonwyd bom
trwy'r post i geisio'i ladd. Sonia pawb a oedd yn ei gofio ac a draethodd
ei hanes am y cyferbyniad rhwng dau 'Emrys ap Iwan'; y gweinidog
ymroddedig a berchid ac a gerid gan hen ac ifanc ym mhobman y bu'n
gwasanaethu, a'r newyddiadurwr miniog a yrrai bobl yn benben â'i
ddychan. Ysgrifennai dan nifer o ffugenwau – Iwan Trevethick, Emrij
Van Jan, Nehemeia o Ddyffryn Clwyd – nid er mwyn ceisio cuddio pwy
oedd, ond er mwyn deffro ac addysgu ei ddarllenwyr drwy'r ddyfais o
newid perspectif. Dyna ddyfais sylfaenol *Breuddwyd Pabydd wrth ei Ewyllys*.
Daeth ei *Gofiant* gan T. Gwynn Jones yn ddylanwad mawr ar genhedlaeth
o wladgarwyr ifainc yn ystod ac wedi'r Rhyfel Mawr, a gwelwn bellach
mai ef a ddug ynghyd am y tro cyntaf y cwlwm o themâu a ddiffiniodd
genedlaetholdeb Cymreig modern.

Mae DAFYDD G   y Gymraeg,
Prifysgol Cymru, E

Robert Ambrose Jones (Emrys ap Iwan)

Cyfrolau Cenedl 4

Emrys ap Iwan: Breuddwyd Pabydd wrth ei Ewyllys

Golygwyd gan

DAFYDD GLYN JONES

DALEN NEWYDD

2011

Argraffiad cyntaf – 2011

Rhif llyfr cydwladol (ISBN) 978-0-9566516-4-8

Cynllunio gan neReus,
Tanyfron, 105 Stryd Fawr, Y Bala, Gwynedd, LL23 7AE.
e-bost: dylannereus@aol.com

Cyhoeddwyd gan Dalen Newydd,
3 Trem y Fenai, Bangor, Gwynedd, LL57 2HF.
e-bost: dalennewydd@yahoo.com

Argraffwyd a rhwymwyd gan MWL Print Group Cyf.,
Unedau 10/13, Stad Ddiwydiannol Pontyfelin, New Inn,
Pont-y-pŵl, Torfaen, NP4 4DQ.

Rhagair

Cyhoeddwyd *Canu Twm o'r Nant* y llynedd ar gyfer dau ganmlwyddiant marw'r bardd. Cyhoeddir *Breuddwyd Pabydd wrth ei Ewyllys* mewn pryd ar gyfer 2012, y flwyddyn a ragwelodd y Pabydd yn ei freuddwyd. Gobeithio y caiff y darllenwyr beth hwyl wrth ystyried pa bethau o'r breuddwyd a ddaeth yn wir, ac efallai y'u harweinir oddi yno i ofyn rhai cwestiynau o'r newydd am Gymru heddiw.

Medi 2011   D.G.J.

Cynnwys

RHAGAIR . . . .   [v]

RHAGYMADRODD   1

BREUDDWYD PABYDD WRTH EI EWYLLYS   15

LLYFRYDDIAETH   79

GEIRFA   81

Rhagymadrodd

Ym mhennod gyntaf ei nofel gyntaf rhydd Daniel Owen inni arolwg cyflym, cynnil ac eironig o gyflwr a gweithgarwch y gwahanol gyrff crefyddol yn 'Y Dreflan' ddechrau'r 1880au. Daw Eglwys Loegr, y Methodistiaid Calfinaidd, 'ein brodyr y Bedyddwyr', a'n 'brodyr Annibynnol a Wesleaidd' (Cymraeg a Saesneg) i gyd yn destunau sylw byr yn eu tro. Ac yna:

> Tra yr ydwyf yn ysgrifennu, y mae yr Offeiriad Pabaidd yn myned heibio yn ddistaw, ac yn ymddangos fel pe na byddai yn cymeryd sylw o neb byw bedyddiol, ond dilys, frawd, dy fod dithau yn gweithio yn dy ffordd dy hun lawn cymaint â neb a enwyd gennyf.

Mae'r awgrym yn ddigon clir: na ddiystyrwch y brawd hwn. Cadwch lygad arno. Peidiwch â synnu os daw ei awr.

Meddwl digon tebyg, er efallai gwahanol ei gymhelliad, a ysgogodd Emrys ap Iwan ymhen deng mlynedd eto i ysgrifennu 'Breuddwyd Pabydd wrth ei Ewyllys' a'i gyhoeddi'n gyfres fer yn *Y Geninen*.

§

I wneud gosodiad o unrhyw werth am y gorffennol, mae angen cof a gwybodaeth, gonestrwydd a barn. I wneud gosodiad am y dyfodol, nid oes angen dim o'r pethau hyn, oherwydd ni bydd neb mewn sefyllfa i'n cywiro. Am y rheswm hwn y mae'n rhwydd iawn gennym ddweud pethau am y dyfodol; mae pawb ohonom yn ei wneud ryw ben i bob dydd, a'r bobl fwyaf anwybodus a digywilydd yn ei wneud yn aml aml, a chyda rhwysg; 'dyma iti be fydd yn digwydd ... gei di weld ... dyma iti be wnân nhw ... sicir iti ... marcia di 'ngeiria fi'.

Ond yn ogystal â rhai o'r bobl ffolaf, mae hefyd rai o'r bobl alluocaf wedi mentro darlunio'r dyfodol, yn cynnwys llenorion fel Aldous Huxley, George Orwell, Islwyn Ffowc Elis – ac Emrys ap Iwan. Y gwahaniaeth rhwng y rhain a'r math arall yw eu bod yn cofio mai arfer dyfais y maent.

Yn fras ac am y tro, gallwn wahaniaethu rhwng dau fath o ddweud am y dyfodol: proffwydo yw'r naill, a darogan yw'r llall. Rhybuddio y mae'r proffwyd, gan ddweud y caswir yn aml; addo pethau y mae'r daroganwr, gan ddweud yr hyn y mae ei wrandawyr am ei glywed, sef yr hyn a gwyd eu calonnau. Mae'r daroganwr yn honni gwybodaeth gyfrin, ond mae'r proffwyd yn rhesymu â'i wrandawyr: gweithredwch chi yn y modd hwn, a bydd y canlyniad hwn yn debyg iawn o ddilyn. Rhaid brysio i nodi fod y ddau derm, wrth reswm, yn gwbl gyfnewidiadwy, a bod digon o awduron wedi cyfuno'r ddwy swyddogaeth: Siôn Cent, Morgan Llwyd, Waldo Williams. I gwmni ac i linach y proffwydi y perthyn Emrys ap Iwan heb unrhyw amheuaeth – 'Nehemeia o Ddyffryn Clwyd', chwedl un o'i ffugenwau. Ond yn 'Breuddwyd Pabydd wrth ei Ewyllys' mae'n *defnyddio* darogan fel moddion llenyddol i gyflwyno'i broffwydoliaeth.

Mae prif fannau'r rhagweledigaeth yn syml ac eglur i'r eithaf. Edrychir o 1890-2 ar Gymru 2012. Cymru ydyw honno wedi ennill ymreolaeth ond wedi colli ei chrefydd Ymneilltuol. Diau fod y ffaith gyntaf wrth fodd calon Emrys ap Iwan, – bathwr y gair 'ymreolaeth'. Go brin fod yr ail ffaith felly. Tuedda gweledigaethau llenyddol o'r dyfodol i amrywio rhwng Iwtopia, sef y cyflwr delfrydol ar gymdeithas, a 'Dystopia' (cam-fathiad, o'r safbwynt puryddol, ond un sydd wedi ennill ei le), sef y cyflwr hunllefol, trychinebus. Gan George Orwell ac Aldous Huxley cawn fwy o'r ail nag o'r cyntaf, a chan Islwyn Ffowc Elis cawn ddewis clir, sy'n dibynnu ar y ffordd y bwriwn ni ein pleidlais. Yng ngolwg gweinidog ymroddedig o Ddyffryn Clwyd, aelod ffyddlon o gyfundeb Ymneilltuol, ie, er gwaetha'r holl gam a dderbyniodd ef gan y cyfundeb hwnnw, cymysg o ennill a cholled sydd yn y weledigaeth. Fe enillwyd y peth y mae'n rhaid i genedl wrtho, ond yr un pryd fe gollwyd rhywbeth anhraethol werthfawr. Rhaid i'r darllenydd ei atgoffa'i hun mai 'Breuddwyd Pabydd' sydd yma, hyd yn oed os yw hynny'n gofyn ei binsio'i hun yn ysbeidiol.

Gwelir yr hanes nid drwy un sbectol Gatholig, ond drwy ddwy. Y mae'r 'Tad Morgan', sy'n agor y stori, nid yn unig yn Babydd, ond hefyd yn offeiriad; ac nid yn unig yn offeiriad ond hefyd yn Iesuwr neu Jeswit, aelod o 'Gymdeithas yr Iesu'. Yn gam neu'n gymwys cafodd y gymdeithas honno, gan ei chydymgeiswyr Catholig lawn cymaint â chan ei gwrthwynebwyr Protestannaidd, enw am ddyfalwch ystyfnig, dulliau ystrywus a dadleuon ffel. Gŵyr Protestant a Chatholig beth yw 'ymresymiad Jeswitaidd'. Breuddwydiodd 'Y Tad Morgan' dair gwaith, ac am hynny rhoddodd goel ar ei freuddwyd, ei fod yn gwrando darlith yn y flwyddyn 2012 ar hynt Cymru a'r byd yn ystod yr ugeinfed ganrif. Pabydd yw'r darlithydd yntau, a sut y gorfu Pabyddiaeth yng Nghymru yw ei brif thema.

Na, nid Emrys ap Iwan yw'r darlithydd, na'r cofnodwr ychwaith. Ac eto – pwy a wad? a thebyg nas gwadai ef ei hun – y mae rhywbeth ohono ef yn y ddau, o'i sefyllfa fel 'astudiwr dyfal, ... heb wraig na phlant i'w flino, ... wedi tramwyo llawer gwlad, a dysgu aml iaith', i'w argyhoeddiad sylfaenol am wleidyddiaeth Cymru a natur cenedligrwydd. Cweryl Emrys â chefnogwyr yr 'Inglis Côs' yw'r ysgogiad gwaelodol. Syniadau Emrys am iaith sy'n rheoli'r cyflwyniad. Beth yw hyn sydd gan y darlithydd yn erbyn y Cadfridog Booth a'r 'Fyddin Iach', mewn ymosodiad a all ymddangos yn ofnadwy o annheg? Ai rhywbeth Catholig, ynteu amheuaeth y pregethwr ysgolheigaidd, deallusol, o bob crefydd godi-hwyl? (Ac os yr olaf, beth tybed oedd ymateb Emrys i'r Diwygiad a welodd Cymru yn ystod dwy flynedd olaf ei oes ef? Ni welais ddim tystiolaeth, ond ni olyga hynny nad yw i'w chael.) Ac yn yr un cyswllt, beth yw'r gwrthwynebiad i ferched bregethu ac arwain mewn crefydd? Ai'r agwedd Gatholig ddisgwyliedig, ynteu rhywbeth mwy personol? Ni wn.

Enciliad Ymneilltuaeth, a dyfodiad rhyw fesur o

hunanlywodraeth: ar y ddau ben yna y mae'r weledigaeth yn gywir. Cawn ninnau'r hwyl o ofyn, â'n synnwyr trannoeth, faint o'r manylion sy'n gywir o fewn y fframwaith hwn. Dyma enghraifft o'i tharo hi bron i'r flwyddyn:

> Fe dwyllwyd yr holl secta yn eu hystadega; canys pan oeddenw yn tybied eu bod yn gryfion yr oeddenw mewn gwirionedd wedi mynd yn weinion iawn. Tua thrigian mlynedd cyn eu trangc, yr oeddenw yn gallu ymffrostio eu bod yn lliosocach nag y buonw erioed; ond cyfri manus yr oeddenw ac nid grawn: canghenna crin ac nid rhai ir, heb ystyried mai hyrddwynt cymedrol a dycie i chwalu ymath y rhain i gid.

Y sawl sydd wedi darllen, neu o leiaf wedi gweld, *Diwygwyr Cymru*, Beriah Gwynfe Evans, fe gofia am ei fapiau a'i siartau lliwgar yn dangos nerth y gwahanol gyrff crefyddol o dalaith i dalaith ac o sir i sir. Fe'i cyhoeddwyd ym 1900. Trigain mlynedd wedyn, a dyna hi! Ni all na chymerwn sylw ychwaith wrth ddarllen am 'Armagedon y gwledydd', 'y rhyfel mawr' (ie, fel yna, wrth ei enw), 'a'r frwydr ola ar wastadedd Belg'. Gwyddom nad yr olaf a fu hi o bell, bell ffordd, ond yr oedd yn frwydr olaf un gyfundrefn ryngwladol, a chywir y dywedir iddi ysigo Lloegr ac arwain at chwalu ei hymerodraeth. Enghraifft o beth, gofynnwn, yw'r rhan hon o'r stori − ffliwcen ogoneddus, ynteu darlleniad cywir o ganlyniad symudiadau'r gwladwriaethau rhwysgfawr?

Dywedir wrthym ers rhai blynyddoedd mai'r Eglwys Gatholig yw'r corff Cristnogol a chanddo fwyaf o gymunwyr yng Nghymru bellach. Nid yw hynny'n gwneud Cymru'n 'wlad Gatholig', ac ni ddengys y 'Breuddwyd' unrhyw ragwelediad o ymdaith ymddangosiadol ddiwrthdro seciwlariaeth, yn enwedig ym Mhrydain. Nid bu dim byd tebyg i'r achos a'r effaith y mae'r 'darlithydd' yn eu crynhoi, na dim o'r cysylltiad a welodd ef rhwng gwleidyddiaeth Cymru a hynt yr eglwysi. Am y gwir hanes gallwn ddarllen: Trystan Owain Hughes, *Winds of Change [:] The Roman Catholic Church and Society in Wales 1916-1962* (1999).

Cyhoedda'r 'darlithydd' ei destun fel 'achosion cwymp Protestaniath yng 'Hymru', a rhanna'r rheini'n 'achosion cyffredinol' ac 'achosion neilltuol'. Dan y pen cyntaf cynigia ymresymiad sydd, efallai, yn eithaf Jeswitaidd, a'r un pryd yn ein gorfodi i gymryd sylw ohono ac i ofyn, os nad yw'n iawn, pam nad yw'n iawn. Nid yw Protestaniaeth, medd y siaradwr, yn 'gyfundrath', h.y. yn system; oherwydd *ymwrthod* yw ei man cychwyn hi. Ond os felly, sut y daliodd hi ynghyd am y fath amser? Yr ateb: drwy wadu ei hegwyddor fawr ei hun, sef hawl pob dyn i farnu drosto'i hunan. Ac fe ddilyn adran ar y traddodiad mawr o anoddefgarwch ac erledigaeth sy'n perthyn i Brotestaniaeth o Luther ymlaen. Ie, detholiad o'r hyn y gallai Pabydd clyfar, dysgedig ei ddadlau, gyda digonedd o enghreifftiau at ei alw. Ond profiad Emrys ap Iwan hefyd. Dyma, fel y dyfynnir hi gan T.Gwynn Jones, anogaeth Dr. Lewis Edwards yng Nghymdeithasfa Dolgellau, 1880, ar sut i ddelio â'r aelodau hynny a oedd yn anghytuno'n gyhoeddus â'r polisi o agor 'achosion Saesneg':

> Dymunai ar i'r pregethwyr ofalu am fod yn *loyal* i'r Cyfundeb, a dymunai ar i'r blaenoriaid beidio gadael iddynt fyned i bregethu os na fyddent yn *loyal*. A dymunai arnynt roddi marc ar y gŵr hwnnw na byddo yn gweithio gyda'r achosion ag y mae y Gymdeithasfa wedi penderfynu myned ymlaen gyda hwy. Rhoddi marc arno – ei farcio allan, nid yn gyhoeddus, ond dangos eu hanghymeradwyaeth o'i waith mewn rhyw ddull nacaol (cym.).

Emrys ap Iwan, yn bennaf o neb, oedd 'y gŵr hwnnw', ac o ganlyniad i'r 'rhoddi marc' prinhaodd yn y fan ei gyhoeddiadau (h.y. ei wahoddiadau i bregethu). Ei ymateb ef oedd dyblu ei ymosodiadau, ac ar ei hen athro yn benodol. Addunedodd, y tro nesaf yr âi i Wittenberg, ei fod yn mynd i losgi 'bull' y Pab o'r Bala'!

Yr un cwestiwn, a'r un helynt, sydd wrth wraidd yr adran ar 'achosion neilltuol' cwymp Protestaniaeth yng Nghymru. Adroddir gan Gwynn Jones, a phriodol ei ailadrodd yma, y bu Emrys, am ychydig fisoedd cyn ei ordeinio, yng ngofal eglwys Saesneg fechan yng Nghaergwrle, Sir y Fflint. Nid oedd ganddo ddim o gwbl yn erbyn pregethu'r efengyl yn Saesneg lle yr oedd angen. Yr oedd cynlluniau'r Cyfundeb, ar y llaw arall, yn golygu agor achosion Saesneg mewn treflannau ac ardaloedd lle nad oedd nemor unrhyw Saeson. Agorwyd eglwysi Saesneg a phawb o'u haelodau'n Gymry Cymraeg, a rhai – dyna o leiaf a ddaliai Emrys – gyda chyfran sylweddol o'r aelodau heb ddeall Saesneg! Peth neis oedd yr 'Inglis Côs', peth ffasiynol, a gyfrifid yn flaengar, ac a ystyrid hefyd yn anochel gan genhedlaeth a oedd wedi penderfynu fod tranc y Gymraeg yn agos. A'r syniad hwn o'r 'anochel' oedd, ond odid, y peth a wylltiai Emrys ap Iwan fwyaf o ddim. Nid polisi a welai ef yma ond penwendid, 'twymyn' yw ei air. Yn hyn o beth yr oedd ei enwad ei hun, ac Ymneilltuaeth Cymru yn gyffredinol, yn eu gosod eu hunain yn erbyn yr hyn a ragwelai ef fel prif symudiad gwleidyddol y ganrif a fyddai'n dilyn, sef rhyddhad pobloedd caeth. Byddai hynny'n arwain at ddinistr Ymneilltuaeth a Phrotestaniaeth. Mae yntau'n gwahodd ei ddarllenwyr i ystyried y posibilrwydd – y mwyaf annerbyniol o bob posibilrwydd i lawer o'r darllenwyr hynny – mai'r Pab a fyddai'n camu i'r bwlch.

Fel y gwyddom, nid fel yna y digwyddodd hi, a hawdd yw i ni restru'r mannau lle na wireddwyd y disgwyliadau, yng Nghymru nac yn y byd. Do, fe fu rhyw fath o 'Chwyldroad Cyffredinol', a daeth o hwnnw ymwared i rai cenhedloedd caethion. Ni allesid rhagweld, wedi cwymp ymerodraethau Rwsia ac Awstria-Hwngari, ymffurfiad ymerodraethau newydd, amrywiol o ran eu parhad, gyda mwy o gaethiwed cenhedloedd, a chaletach caethiwed, nag a welsid o'r blaen ers llawer oes. Ni allai Emrys ap Iwan ragweld – efallai am na fynnai ragweld – y cydbwysid enciliad yr Ymerodraeth Brydeinig gan lwyddiant byd-eang yr iaith Saesneg, canlyniad yn rhannol i flaenoriaeth a blaengarwch Unol Daleithiau America.

Ac ystyried y talcen caled a wynebodd ef fwy nag unwaith, a'r elyniaeth a enynnodd ei safiad gwleidyddol, yr oedd Emrys ap Iwan yn rhyfedd o ffyddiog ynghylch dyfodol y Gymraeg a phosibiliadau'r Cymry. Fel y gwyddom bellach, yr oedd yn rhy ffyddiog. Rhagwelodd yn gywir enciliad Lloegr, ond nid arafwch y Cymro i sylwi ar yr enciliad hwnnw a'i ymhlygiadau iddo'i hun. Credai Emrys fod ei deimlad cenhedlig yn beth gwaelodol mewn dyn, ac y byddai hwnnw yn y diwedd yn drech nag unrhyw deimlad croes iddo. Tueddaf innau i gytuno mwy a mwy â dadansoddwyr disglair fel Anthony D.Smith ac Adrian Hastings – dau, cofier, a fyddai'n deall amcanion Emrys ap Iwan ac yn cyd-fynd â hwy – nad yw'r ymdeimlad cenhedlig yn un o'r greddfau mwyaf sylfaenol, a'i bod yn weddol hawdd i ddyn ollwng ei genedligrwydd, neu ei gyfnewid am un arall, os nad oes sefydliadau cryfion, defodau a galwadau cyson i gynnal y cenedligrwydd. 'Breuddwyd Cenedlaetholwr wrth ei Ewyllys' yw'r breuddwyd hwn, dyna'r gwirionedd.

Pe dôi Emrys ap Iwan yn ei ôl yn 2012, a fyddai'n cydnabod hynny? Pe bai wedi gallu dychwelyd yn ystod y 1960-70au, dichon y byddai'n ei fwynhau ei hun yn iawn ac y câi reswm i feddwl fod rhywbeth yn digwydd nid annhebyg i'r deffroad a ddisgrifia'r 'Breuddwyd', – er na bu Cymdeithas yr Iaith Gymraeg erioed mor ymosodol â'r 'Cyfamodwyr', ac er na choleddodd hi, mwy nag unrhyw fudiad cenedlaethol modern, y syniad hwnnw o 'Gymru Fwy' a fuasai gynt yn rhan o obaith Glyndŵr ac a gymeradwyir o hyd gan y 'darlithydd'. Erbyn heddiw fe newidiodd y cywair yn ddirfawr eto, gan greu yng Nghymru ryw hinsawdd na allaf feddwl am well gair amdano na 'neo-Victoraidd', hinsawdd a gâi Emrys ap Iwan yn gyfarwydd, os nad yn gysurus. Enghraifft ohono yw'r bri a roddir unwaith eto ar lwyddiant Cymry unigol y tu allan i Gymru, ac yn enwedig yn Llundain. 'O Gymru i'r West End', chwedl penawdau *Golwg*. Enghraifft arall yw'r cynigion bwriadol i droi rhaglenni Cymraeg radio a theledu yn rhaglenni dwyieithog. Syn pe na welai Emrys yn hyn ryw 'dwymyn' gyffelyb i dwymyn yr Achosion Saesneg gynt, rhyw chwilen neu ryw fympwy heb angen na rhesymeg i'w chyfiawnhau.

Am gyfnod gweddol hir, dyweder deugain mlynedd olaf yr ugeinfed ganrif, peth anghyffredin oedd unrhyw ysgrifennu *gwrth-Gymreig* fel y cyfryw yn y wasg Gymraeg (nid dyna y byddwn yn galw ymosodiadau pleidiau eraill ar Blaid Cymru, nac ychwaith bryfocio Torïaidd wythnosol John Eilian yn yr *Herald*). Bellach ceir darllen mewn Cymraeg digon croyw bethau a fyddai, ar glust yr Emrys ap Iwan dychweledig, â thinc o ddadleuon yr 'Inglis Côs' yn *Y Faner* neu'r *Goleuad* yn anterth oes Victoria. Dyma ddau ddyfyniad bach o drafodaeth ddiweddar ar 'Golwg 360' ynghylch dyfodol addysg uwch yng Nghymru:

> Mae'n safle ni mewn technoleg a menter a darganfyddiadau yn [c]yflym [g]olli'r dydd ac er yr holl ddelfrydu a dymuno ddaw rhain dim yn ôl trwy'r Gymraeg. Ffaith nid dadl yw hyn. Rhaid hefyd, fel y dywedasoch, ddod allan o'r syniad anhygoel hwn mai ym Mhrifysgolion Cymru y dylai myfyrwyr Cymru fod – gadewch i'r gorau ohonynt o leiaf gael eu hyfforddi yng Nghaergrawnt a Rhydychen, yr Imperial a UCL. Diolch [enw cyfrannwr arall] am eich onestrwydd – nid yw'n rhywbeth rwy'n hoffi ei glywed ond o fod oddi mewn i'r system gwn mai chi sy'n gywir.

> Mae'n ymddangos mai'r cwestiwn yw beth a ddymunwn yng Nghymru? Addysg prifysgol i bobl Cymru yng Nghymru; neu bod Prifysgolion Cymru yn sefyll ysgwydd wrth ysgwydd â phrifysgolion ein gwlad a'n byd. Dydw i ddim yn credu fedr y ddau [g]lyd-gerdded.

Yn sicr byddai 'Blog ap Iwan', 2012, â digon o destunau trafod. Am ganlyniad ambell etholiad diweddar i seneddau Caerdydd a San Steffan, gallai yn hawdd ddweud fel y dywedodd am etholiad 1895 ym Mwrdeistrefi Dinbych, 'yr oedd yn dda gennyf fod Morgan wedi colli, ac yn ddrwg gennyf fod Hywel wedi ennill'. Beth a wnâi ef, tybed, o'r gosodiad 'Y mae brwydr yr iaith drosodd'? Tebyg y mynnai ofyn 'pwy enillodd?' a 'beth oedd y sgôr?'. A beth a welai ef yn 'Senedd y Bae'? Ai rhan-wireddiad o'r 'breuddwyd', moddion i adeiladu cenedl fodern, hyderus yng Nghymru? Ynteu yr offeryn perffaith, o'r diwedd, i gwblhau ein difodiant? Beth pe baem yn ei wahodd yn garedig i gloriannu'n ofalus a rhoi ei farn ar ddwy Gymru: yr un a welai ef ym 1890 ac a oedd yn ei wylltio mewn cynifer o bethau, ynteu'r un a ddaeth i fodolaeth erbyn heddiw? Pa un, wedi ystyried popeth, sydd fwyaf o genedl? Sicr y rhoddai ateb pwyllog. Ond pa ateb a fyddai, tybed?

Fel neges i Ymneilltuwyr 1890 y bwriadwyd 'Breuddwyd Pabydd wrth ei Ewyllys', ac o edrych ar effeithiau'r seciwlareiddio gydol yr ugeinfed ganrif efallai y barnai'r awdur fod y cyfan yn ofer, ei fod wedi gadael y ffactor mwyaf allan o'r hanes, neu heb ei ragweld o gwbl. Gyda'r brif neges felly'n amherthnasol, a oes yn weddill ryw neges briodol i Gymru heddiw? Oes yn ddiau, ac efallai mai'r brawddegau hyn sy'n ei chrynhoi orau:

[C]anys y Gymraeg oedd yn gneud y rhan hon o Ynys Prydan yn Gymru, a'r Gymraeg oedd yr un ffunud yn gneud ei phobol-hi yn Gymry. Pe na neuthe'r Cymry ymdrech benderfynol i gadw ac i adfywio'r hen iaith, ni fyse Wales yn ddim amgen nag enw deuaryddol, megis Cumberland, ar randir Seisnig. Fe hawliodd y Gwyddelod y Werddon am ei bod-hi'n ynys; ond fe hawliason ni Gymru, nid am fod rhyngoni a Lloiger nac afon na mynydd, nac am ein bod yn wahanol ein llun na'n lliw, ein crefydd na'n harferion, i'r Seuson, eithyr yn unig am ein bod yn wahanol ein hiaith iddynw.

Ein hiaith sy'n ein gneud ni yn 'bobol briodol': hynny ydi, yn genedl. Y mae'n wir ein bod-ni yn wahanol i'r Seuson mewn rhai petha erill; ond y mae'r holl fân wahanieutha yn dyfod o'r gwahaniath mawr sy rhyngoni a nw mewn iaith. O'r hyn lleia, y gwahaniath ieithol sy'n ein cadw-ni yn wahanol mewn petha erill; a phe peidiase'r gwahaniath hwnnw fe a ddarfyse pob gwahaniath arall cyn pen tair cenhedlath.

Ceir llawer ateg i'r athroniaeth hon yn ysgrifau Emrys ap Iwan ar wleidyddiaeth, llenyddiaeth ac iaith, ac yn ei *Homilïau* cyfoethog. Ped arweinid rhywrai i ailddarllen y rhain, neu i'w darganfod o'r newydd, byddai hynny'n cyfiawnhau cyhoeddi'r golygiad hwn o 'Freuddwyd Pabydd'. Hwyrach y dywedir ei bod yn bryd cael detholion newydd ohonynt, ond prin y gellir rhagori ar y detholion a'r cyflwyniadau a wnaeth D.Myrddin Lloyd yn nhair cyfrol y Clwb Llyfrau Cymraeg, 1937-40, ac sydd ar gael yn ail-law heb orfod chwilio'n rhy galed. Llyfrau prinnach yw dwy gyfrol yr *Homiliau* (1906, 1909) wedi eu golygu gan Ezra Roberts, cyfaill mawr i'r awdur. Mae cryn dipyn yn rhagor o homilïau ynghadw mewn llawysgrifau. Gwych o beth fyddai golygiad newydd o'r cyfan, – ond pwy a'i darllenai? Mae detholiad fel un o 'Gyfrolau Cenedl' yn bosibilrwydd yr ydym yn ei ystyried. Ond rhaid dod yn ôl o bob man at y cwestiwn, 'a oes cenedl?'.

§

Cyn dechrau cofnodi'r 'ddarlith' fe welir bod 'Y Tad Morgan' yn esbonio'n bur fanwl sut y mae am fynd ati. Dyma gyfle'r awdur i gyflwyno rhai o'r materion orgraff a gramadeg a lanwai gymaint ar ei fryd. Fel rhai dynion galluog eraill (William Salesbury, George Bernard Shaw) yr oedd ganddo ambell chwilen ieithyddol. Ni wireddwyd ei syniad o roi symbolau yn lle'r llythrennau dwbl, ac ni chydiodd ei system o drefnolion ('y deg a'r nowfed canri'). Llawn cystal mae'n debyg. Ond wedi rhoi'r rhain o'r naill du fe erys corff o egwyddorion diogel a gwerth eu hystyried.

Diweddarais yr orgraff drwodd, ond gan gadw, wrth reswm, y nodweddion hynny ar leferydd y 'darlithydd' y mae Emrys am eu hamlygu. Dyma hwy. *(a)* Colli'r deuseiniaid *ae, ai, au, oe: Protestaniath, ysywath, gafal; santadd, diwahaniath; petha, sylwada; milodd, blynyddodd. (b)* Gwyro'r ddeusain *ae – arglwyddieuthu, teunu, gweutha. (c)* Meinhau *y – dilin, rhiwbeth, gilidd, amriwio, diwigwyr, i gid. (ch)* Cofnodi'r ynganiad *ngc – Ffraingc, pwngc, gwangc.* Cadwyd yn llawn hefyd y dull o roi rhagwenwau ôl dibwyslais, un ai ynghlwm: *ddywedisi, neuthoni, fyddenw; ohonynw, eroni;* neu yn gyplysedig: *ydi-hi, ei brofi-o, eu bod-nw, ei ysbryd-o.* Gwelir yr awdur yn esbonio hyn yn llawn yn yr 'Ateb i Ohebydd' yn union ar y diwedd. Am ei fod yn rhan o gymeriad y gwreiddiol, cadwyd dull Emrys o sillgolli ffurfiau treiglad trwynol: *y'ngenau, y'Nghymru, ym'Mharis, yn'hiriogath, fyn'hemtio;* ac amrywiaeth o ffurfiau unigol eraill y mae'n bartïol iddynt: *doeth* (daeth), *ne* (neu), *erill, engraff, ono* (yno), *camol.* Syn gennyf ddeall fod *Bibil* yn ffurf mor gyffredin, ond rhaid mai dyna a glywai clust yr awdur. Mae'r ffurf *'w* ar ôl y seiniau *i* ac *u* yn hollol dderbyniol ganddo: *wedi'w, i dorri'w, dychmygu'w.* Nid yw'r testun yn gwbl gyson gyda ffurfiau fel *ymneilltuol* ac *ymneillduwr;* cadwyd at *t* er mai *d* sy'n driw i'r ynganiad.

Ar dudalen 23 fe welir fy mod wedi hepgor brawddegau. Dweud y mae ei fod wedi penderfynu rhoi'r *h* ar ôl yr *r,* gan roi ffurfiau fel *anrhugar, angrhedu.* Gellid cyfiawnhau hyn ar sail yr ynganiad, ond mae'n groes i'r hyn a dderbynnir bellach, a chreu dryswch fyddai ei roi ar waith.

Rhifais y troednodiadau drwodd, 1-48, yn hytrach na defnyddio'r symbolau, yn ailddechrau ar bob tudalen, fel yn yr argraffiadau o'r blaen. Ffynonellau gwirioneddol a oedd ar gael ar y pryd yw'r rhai a restrir, nid llyfrau dychmygol o'r ugeinfed ganrif. Mae 'nofel dair cyfrol John Hughes' felly'n cadw'i lle, wrth ochr *Rhys Lewis,* fel un o'r ddwy nofel dda a luniwyd gan Ymneilltuwyr.

Seiliodd Emrys iaith y 'darlithydd' ar yr hyn a glywai. Cymraeg llafar ffurfiol rhywun tebyg iddo'i hun ydyw, wedi ei gofnodi

mor 'seiniadol' ag y gellid yn rhesymol, gan gyfaddawdu peth
â'r arfer llenyddol, megis drwy dderbyn *ei, ein, eich* yn hytrach
nag *i, yn, ych*. Yr hyn sy'n ein taro yw mai'r un bron yn union
fyddai iaith siaradwr o'r un cefndir heddiw, sy'n eithaf rhyfeddol
o ystyried maint y pwysau ar y Gymraeg yn y cyfamser. Eithr
os mai'r bwriad oedd i'r ffurfiau 'seiniadol' ddisodli'r ffurfiau
llenyddol, cyfarwydd i'r llygad, rhaid cofnodi na ddigwyddodd
hynny ac nad oes arwydd ei fod yn digwydd, y tu allan i ddialog
stori a drama, ac mewn ambell 'ddarn tafodiaith'. Petawn i'n
traddodi darlith heddiw, gallwn yn hawdd ynganu *deuar, gafal,*
gwahaniath, digwilidd, milodd, Ffraingc. Ond wedyn mi awn adref
i'w thwtio ar gyfer rhyw gylchgrawn, a sgrifennu *daear, gafael,*
gwahaniaeth, digywilydd, miloedd, Ffrainc. Mae i'r iaith lenyddol ei
hystyfnigrwydd ei hun, a'i gafael arnom. Hi yw'r esmwythaf i'r
llygad, fel y cytunai pob golygydd papur bro. Tebyg y cytunai
Emrys ap Iwan hefyd, ar ôl gwneud yr arbrawf unwaith.

Ni welaf angen am nodiadau gan y golygydd ar y testun, ond
dyma air am ambell beth. Tebyg mai William Rathbone, Aelod
Seneddol Sir Gaernarfon 1880–5, ac yna rhanbarth Arfon 1885–
95, oedd yr 'Undodiad o Sais' (t. 21). Undodiaeth Mr. Rathbone
a gymhellodd y sylw gan daid W.J.Gruffydd, bod 'llawer o bethau
dyrys heb eu hesbonio yn y Drefn'. Syr John Rhŷs, ar ei esgynfa
'o Rees i Rŷs', chwedl R.Williams Parry, yw 'y dysgawdwr
Rhys' (t. 22). Yn ôl traddodiad, gwraig oedd 'Siani Geddes' (t.
44) a hyrddiodd stôl droed at Ddeon Cadeirlan St. Giles, Caeredin
mewn gwasanaeth a drodd yn derfysg yn erbyn Llyfr Gwasanaeth
newydd yr Archesgob Laud, 3 Awst 1637. Yr hyn a eilw'r llyfrau
hanes Saesneg 'The Popish Plot', 1678, yw 'Brad y Pabyddion' (t.
48). Ystyr 'rhedeg yn y gwddw i (rywun)' (t. 52) yw 'codi yn ei
erbyn', 'mynd yn groes iddo'. Pwy a ddechreuodd arfer yr enw
'Cymru Fydd', ond a oedd yn 'Gymro rhy Gymroaidd i fod yn
aelod o'r Gymdeithas a elwir felly' (t. 21)? Dyfalaf mai Michael
D. Jones, ond tystia William George yn ei lyfr ar hanes y mudiad
na wyddai ef, ac na wyddai neb, pwy a fathodd yr enw.

Geiriau'r Apostol Paul yw'r rhai ar frig y gwaith, ac mae'r adnod (Rhufeiniaid 11:14) yn darllen: 'Os gallaf ryw fodd yrru eiddigedd ar fy nghig a'm gwaed fy hun, ac achub rhai ohonynt'. Sylwyd droeon o'r blaen y gallent fod yn arwyddair ar holl waith Emrys ap Iwan.

Ar ôl petruso llawer y rhoddwyd geirfa fach ar gwt y testun hwn. Ni roddir geirfâu gyda thestunau llenyddol Saesneg ar ôl Shakespeare, hyd yn oed testunau ysgol a choleg. Fe gymerir fod pob Sais yn medru ei iaith; mater o anrhydedd ydyw. Y felltith yw bod y geiriau'n ddiddorol, felly dyma lyncu'r gwrthwynebiad gwleidyddol unwaith eto, am y tro. O ran paragraffu, dilynwyd gan mwyaf destun Llyfrau'r Ford Gron.

Breuddwyd Pabydd wrth ei Ewyllys

Gan y TAD MORGAN, C.I.

'Os gallaf rywfodd yrru eiddigedd ar fy nghig a'm gwaed fy hun.'

Cymru Gymreig Gatholig a fuasai y peniad gorau, o leiaf gennyf fi, uwchben yr ysgrif hon; ond gan mai y ddihareb sydd uchod, neu un debyg iddi, a ebychai llawer Protestaniad ar ôl darllen yr ysgrif, y mae yn wiw gennyf uwch ei phen hi, os nad yn ei chorff, gytuno â'm gwrthwynebwyr.

Y mae gennyf gydwybod rhy dawel, a dannedd rhy dda, ac oherwydd hynny, gylla rhy iach, i freuddwydio llawer; a phan y digwyddo imi freuddwydio, ni byddaf odid byth yn coelio fy mreuddwyd; nac, yn wir, yn ei gofio.

A phaham y byddwn yn goelgar? a minnau, fel ereill o'm brodyr, wedi bod yn astudiwr dyfal am ugain mlynedd a mwy, heb wraig na phlant i'm blino; ac wedi tramwyo llawer gwlad, a dysgu aml iaith, er mwyn ymgymhwyso i fyned yn genhadwr i ba le bynnag y gwelai fy uchafiaid yn dda fy nanfon.

Eithr ti a addefi, ddarllenydd tirion, fod rhagor rhwng breuddwyd a breuddwyd. Yn awr, mi a ddywedaf wrthyt ar fy llawgair (ac y mae fy enw a'm senw, onid ydynt, yn ddigon o warant amdano), na byddaf fi byth yn rhoi coel ar freuddwyd os na freuddwydiaf ef dair gwaith ôl-yn-ôl.

'Y drydedd waith y mae coel,' medd traddodiad Cymreig; ac yr wyt tithau, er yn gwrthod traddodiadau yr Eglwys Gyffredinol, yn ddigon o 'babydd,' os addefi di y gwir, i dderbyn llawer o draddodiadau dy genedl dy hun.

A phe rhyngai bodd iti, yn angerdd dy eiddigedd dros Brotestaniaeth, daeru nad yw y dywediad Cymreig a goffeais ddim yn wir, mi allwn brofi iti ei wirionedd allan o Lyfr Job. Ond efallai na thyciai hynny chwaith am y gallet ti, fel yr yslywenaidd Luther, ymlithro o'm dwylaw, ac yna chwythleisio y'ngenau rhyw dwll diogel nad oedd gan awdwr Llyfr Job ddim hawl i ddangos ei drwyn ymhlith yr ysgrifenwyr ysbrydoledig.

Dychwelwn at ein defaid, chwedl y Ffrancod – Breuddwydio a wneuthum *dair gwaith* fy mod yn y flwyddyn 2012 O.C. mewn ystafell neu ddarlithfa hanner cron, lle yr oedd llawer rhes o feinciau yn ymgodi yn raddol, y naill uwchlaw y llall, fel yn llofft eithorfa Irving yn Llundain; ac yn eistedd arnynt yr oedd tua dau gant o feibion a merched gweini, heblaw aml feistr a meistres, ynghyd â'u plant.

Er fod dillad y rhai olaf yn fwy drudfawr na dillad eu gweinidogion, go gyffelyb oeddynt o ran dull. Clos pen glin diwygiedig oedd gan y meibion, yr hwn, oblegid ystwythder ei ddefnydd a'r brodwaith oedd arno, a'r ysnoden a'r tasel oedd ar gamedd y gar, oedd yn llawn tebycach i glos yr Hungariaid nag i glos y Cymry gynt.

Esgidiau isel ag iddynt fyclâu pres, neu arian, yn ôl gallu'r gwisgwr, oedd eu hesgidiau gŵyl; eithr yr oedd rhai, gan ofni gwlaw, wedi dwyn am eu traed fotasau uchel, yr hyn beth oedd yn rhoi lle imi gredu bod y ffasiwn yn eu plith hwy yn newid yn ôl math y gwaith a'r tywydd. Nid côb gynffonnog, gaeth, ydoedd eu harwisg; ond mantell lac, chwyfiannol, o bali teg, go debyg i hugan marchogion Hungaria.

Gan nad oeddynt yn awyddus i leisio yn floesg fel Saeson neu hwyaid gwylltion, nac i ddangos eu bod yn haeddu eu crogi, nid oedd neb ohonynt yn gwisgo am ei wddf dennyn Calcraft; yr hwn a enwir mewn cylchoedd cyfrifol yn *West End Collar*. Cadach sidan llac, yn unig, oedd yn amddiffyn ac yn addurno'u gyddfau hwy, wedi ei rwymo *megis* yn ysgafala, ond mewn gwirionedd yn dra chelfydd. Ni welais un het corn mwg, na het nyth aderyn, na het *à la* torth geirch; eithr yn unig hetiau â choryn lled bigfain, llydan a bwaog eu cantel, ac ystwyth wrth reswm; nid annhebyg i ffrwyth priodas rhwng het un o geffylwyr Carl y Cyntaf â het un o hen baentwyr Fflandrys.

Cyffelyb ei llun oedd het y merched, ond ei bod hi wedi ei

hamgylchu â rhwymyn sidan, yr hwn yr oedd ei ben yn hongian yn wasgaredig o'r tu ôl. Am y genethod, yr oeddynt hwy ar dywydd teg yn ymfoddloni ar wisgo torch ag ynddi lygadau arian, neu hyd yn oed gylch o flagur a blodau. Gan fod y merched yn bur wahanol eu hoedran a'u sefyllfa, nid yr un peth, ac nid yr un faint, oedd ganddynt oll am eu gwddf; ond yr oedd gwddf pob un ohonynt yn fwy amlwg nag ydyw gyddfau merched yr oes hon.

Gan na fu gennyf erioed na chwaer na gwraig na chariad, ni ddylid disgwyl i mi ddarlunio y mwslin crych, y rhidens, y tlysau, y boglymau, y cadwyni arian, a'r llinynnau cyfrodedd, oedd ar eu gwasgod Yswisaidd.

Cwta oedd pais a gŵn pob un – prin yn cyrraedd hyd fol y goes; ond yr oeddynt yn fwy meinwych o lawer na'r rhai a welir yn awr y'Nghymru, ac yn gorwedd yn well hyd yn oed na'r rhai a welir yn ardal Telmarc y'ngwlad y Norwegiaid. Yn wir, yr oedd y gŵn megis wedi tyfu yn naturiol o'r wasg i waered, fel gŵn Twrcomanes; yr hyn a ddyry ar ddeall nad oedd neb o'r llancesi yn ddigon llygredig eu chwaeth i wisgo crwmp a thindres Groegaidd – pe Groegaidd hefyd. Sidan oedd defnydd yr hosanau; ac nid oedd yr esgidiau yn cuddio y rhai hyn ddim uwch na gwaelod y fferau.

Ti a elli yn hawdd ddyfalu, ddarllenydd, fod y meibion a'r merched yn y gwisgoedd hyn yn ymddangos yn llai cyffredin o lawer na meibion a merched ein hoes ni yn y wlad Biwritanaidd hon.

Ond os oeddynt yn fwy dillyn eu gwisg a'u gwedd, nid oeddynt cyn falched nac mor aflednais. Yr oeddynt yn gweled ereill mor drwsiadus a theg yr olwg fel nad oeddynt yn cael dim hamdden i genfigennu wrth ei gilydd, nac ychwaith yn cael achos i ddiolch i Dduw am ddarfod eu gwneuthur a'u gwisgo hwy gymaint amgenach nag ereill. Yr oedd yn amlwg eu bod hwy yn gallu gwneud yr hyn nad all y rhan fwyaf o Gymry yr oes hon mo'i wneud: sef anghofio'u hunain am awr neu ddwy.

Y mae yn rhyfedd nad oes gan y Cymry ddim un gair Cymreig

dilwgr i ddynodi eu bai pennaf; am hynny, pan fyddys yn gofyn pa beth ydyw eu pechod cenedlaethol, rhaid ateb mai 'cysêt'.

Ynglŷn â hwn y mae dau fai sy'n ymddangos yn anghyson ag ef, ac, yn wir, yn anghyson â'i gilydd hefyd: sef digywilydd-dra ceffylaidd, ac yswildra mulaidd.

Sylwch ar y brygawthwr Ymneilltuol yna yn eistedd yn y pulpud y tu ôl i'w frawd sydd yn awr ar ei bedion yn 'cyfarch (cyfarth ?) yr orsedd'; mor ymwybodol yr ymddengys efe o'i fodolaeth! mor ymdrechgar ydyw efe, trwy ei sych besychiadau, ei ebychiadau iach, a'i fydumiau, i dynnu sylw pawb ato'i hun! hyfed ydyw ei edrychiad! Yn ddiau, nid yw efe nac yn ofni Duw nac yn parchu dyn – *tlawd*; eithr dodwch ef y'mharlwr rhyw ŵr goludog y byddo gwae yn ei wg a gwynfyd yn ei wên, a chwi a gewch weled, os nad yw efe yn parchu neb, ei fod yn arswydo llawer un.

Ond ym mhlith y gweinidogion oedd yn yr ystafell ni welais i gymaint ag un yn gwladeiddio o flaen ei feistr, na neb isel ei radd yn ymhyfhau ar un uwch ei radd oblegid eu bod ill dau yno ar dir cyffredin. Fel pawb a fagwyd ac a ddisgyblwyd yn Eglwys Rhufain, yr oedd pob un yn medru bod yn rhydd ei ymddygiad a'i ymadrodd heb beidio â bod yn foesgar; ac heb anghofio, hyd y mae yn weddus, y gwahaniaeth mewn dawn a sefyllfa a wnaeth Rhagluniaeth rhwng dyn a dyn; er y clywais un yn sisial nad oedd dim parch yn ddyledus i ddyn ariannog, yn unig am ei fod yn ariannog. Yr un ffunud, yr oedd y meistriaid yn eu hymddygiad tuag at eu gweision yn ymddangos yn fwy awyddus i gael eu caru nag i'w parchu ganddynt: er hynny, trwy gael eu caru yr oeddynt yn cael eu parchu hefyd; oblegid hyd yr ydys yn caru, hyd hynny yr ydys yn parchu.

I ba beth, meddwch, yr oedd y deucant hyn wedi ymgynnull yn yr ystafell hon? I glywed un o gyfres o ddarlithiau a draddodai un o athrawon yr Ysgol Blwyfol pob prydnawn dydd Iau i wasanaethyddion y plwyf ar Hanes Cymru, a Hanes yr Eglwys Gatholig – y ddau hanes mwyaf buddiol a diddorol o bob hanes i'r

Cymro Catholig, a'r rhai, o'u trin yn llwyr, sy'n cynnwys y rhan bwysicaf o hanes y byd.

Mi a wybûm rywfodd fod hanner gweinidogion y tai cyffredin, y plasau, y ffermydd a'r siopau, yn cael hanner diwrnod o ollyngdod unwaith bob wythnos, a phawb felly yn ei gael ef bob pythefnos; ac yr oedd blaenoriaid 'yr Undeb Cymreig Catholig' er ys talm cyn hyn wedi manteisio ar yr ŵyl hon i oleuo'r dosbarth lleiaf eu dysg y'nghylch eu cenedl a'u crefydd.

I'r undeb hwn, fel y canfyddir yn y man, yr oedd ar Gymru fwyaf o ddiolch am gael ei rhyddhau o'r diwedd oddi wrth ddylanwad mall y sectau, y rhai, oblegid eu cenfigen tuag at ei gilydd, a fuasent yn cydymdrechu i'w darnio ac i'w Seisnigeiddio hi. Ac efe, trwy gadw iaith a phriodolion ereill y Cymry, a'i galluogodd hi i hawlio ei hannibyniaeth, pan y daeth ymwared y cenhedloedd caethion yn amser y Chwyldroad Cyffredinol.

Nid oes achos dweud nemor am y darlithiwr heblaw mai gwisg lleygwr oedd amdano, a'i fod yn ymddangos tua deugain mlwydd oed. Yr oedd yn amlwg mai Gwyneddwr oedd efe, oblegid yr oedd yn hoffach ganddo o lawer y llythyren *a* na'r *e*; eithr am resymau y gall y darllenydd eu dyfalu, *e* ac nid *a* a arferai efe yn lle *ai* yn nherfyn berfau, megis *bydde, buase*, neu *byse*. Yn gytunol â deddfau sain a hen arfer gwlad, efe a droai ddwysain ddiacen yn unsain, oddi eithr o flaen unsain ogyffelyb, megis *petha, ama, addo, anga, enad, santadd, ydi*; eithr *pethau-annelwig, amau-amryw, addaw-oen, angau-anghynnes, ydiw-un.*

Er mwyn rhugledd, ni seiniai efe mo'r *f* derfynol o flaen cytsain gair dilynol; ac *ydwi, cymerai* a ddywedai efe am *ydwyf, cymerafi*, yn ôl anogaeth ac esiampl Edward Lhuyd; ie, mi a sylwais ei fod yn gadael *dd* hefyd allan rhwng *r* a chytsain ddilynol; megis *ffor fawr, bwr crwn*, yn lle *ffordd fawr, bwrdd crwn.* Er mwyn byrder, ac yn gytunol â'r arfer yn Llydaw, Cernyw, a rhai rhannau o Gymru, efe a adawai allan yr *a* yn nherfyniadau berfau, ar ôl y llythyrennau tawdd *l, m, n, r;* megis *talse, llamse, canse, cymerse*, yn lle *talasai, llamasai, canasai, cymerasai.*

Er mwyn dilyn arfer gwlad, ac er mwyn eglurder hefyd, efe a arferai ragenw bob amser ar ôl berf, pan na byddai rhagenw o'i blaen hi, eithr pan na byddai y rhagenw ddim yn or-bwysig efe a gysylltai y rhagenw â'r ferf; megis, a *welis-ti*, y *bydd-o* (rhag ei seinio yn *byddo*). Yn lle *ef* ac *efe*, efe a arferai *fo*, neu *o* ac *y fo*; yr un ffunud *chi* ac y *chi*, yn lle *chwi* a *chwychwi*; *nhw* neu *nw*, ac *y nhw*, yn lle *hwy* a *hwynt-hwy*; er fod *chi* yn enwedig yn ymddangos i mi yn bur anghymeradwy.

Yn gyffredin, efe a droai hanner sill yn sill; megis, *brwydyr, magal,* yn lle *brwydr, magl;* eithr weithiau efe a fwriai yr hanner sill allan, gan ddywedyd *ffenest, chwibanog,* yn lle *ffenestr, chwibanogl*. Ond ofer a fyddai i mi ymdroi i ddangos yr holl wahaniaethau rhwng Cymraeg y flwyddyn 2012 a Chymraeg argraffedig y dyddiau hyn; am y gall y darllenydd ei hun sylwi arnynt yn y ddarlith yr wyf ar fedr ei chofnodi, yr hon a argreffir yn seiniadol, hyd y gellir gwneud hynny â'r llythrennau sydd yn awr ar arfer.[1]

Er fod y pethau hyn oll yn llyfnhau llawer ar yr iaith, ac yn ei gwneud hi yn ddiau yn bereiddiach i'r glust, eto y mae yn debygol y teimlasai Cymro y dyddiau hyn ei bod yn swnio yn rhy werinaidd, oni buasai fod y darlithiwr yn cadw ei hurddas hi trwy burdeb a glendid ei arddull. Er mwyn cadw'r cyfryw urddas, ni byddai efe byth yn arfer gair estronol, os na byddai gwedd Gymreigaidd arno; neu, o leiaf, os na ellid rhoi gwedd felly arno, trwy ei gydffurfio â deddfau hynodol y Gymraeg; felly ni ferwinwyd mo'm clustiau â'r fath eiriau â *finegr, côt, &c.,* heb sôn am *fôt, Whig, stesions,*[2] *Menai Brids, Coleds Bangor, dinas Nêpls,* a ffrilion ereill bechgyn ysmala y gymdeithas hanner Cymreig a elwir 'CYMRU FYDD.'

---

[1] Wrth weled yr arwyddair 'callon urz gallon' ar faner uwchben pulpud y darlithiwr, mi a fernais fod Cymry 2012 wedi diwygio yr orgraff, ac mai er mwyn dangos sain fer yn unig y byddent yn dyblu cytseiniaid.

[2] Fe fuasai 'stasiwn, 'stasiynau, fel ffasiwn, sasiwn, &c., yn Gymreigaidd, er nad yn Gymreig.

Fe barodd hyn imi benderfynu fod rhyw Lanhawr Cymreig wedi ymddangos i fwrw allan yr holl dramgwyddiadau hyn; ac felly i wneud i'r Gymraeg yr hyn a wnaeth Lessing gynt i'r Ellmynaeg, yr hon, cyn ei amser ef, oedd wedi ei gorthyrru â geiriau Ffreinig.

Diflannu cyn hir, fel 'dirprwyaethau Presbyteraidd,' 'sebon iachawdwriaeth,' a llawer ynfydrwydd arall, a wneiff y Wiriolaeth (*Realism*) eithafol honno sy'n cymeryd darlun diatreg o air neu blentyn cyn i'w famaeth gael cyfleustra i'w amgeleddu.

Nid doeth gan hynny, na gweddus chwaith, ydyw i ddysgawdwr frysio i dderbyn gair estronol a gipiwyd i fyny gan boblach sydd naill ai yn rhy annalluog neu ynte yn rhy ddiog i chwilio am air brodorol. Chware teg i werin Cymru, y mae hi cyn baroted i groesawu gair Cymreig da, a gyflwyner iddi yn brydlon, ag ydyw hi i groesawu gair Seisnig, neu air Seisnigaidd. Y mae yn naturiol i mi, sy'n ddisgybl i Newman, gredu fod iaith fel pob peth arall yn ymddatblygu; ond arwyddion o ymddatodiad ac nid o ymddatblygiad ydyw 'geiriau anwes' bechgyn mawr 'Cymru Fydd.' Y mae gennyf fi barch i'r deddfau sy'n llyfnu iaith, eithr nid i'r mympwyon sy'n ei llygru hi.

Gyda llaw, fe ddechreuwyd arfer yr enw 'Cymru Fydd' gan Gymro rhy Gymroaidd i fod yn aelod o'r Gymdeithas a elwir felly.

(Mr. Golygydd, os cwyna rhywun wrthych nad wyf fi yn breuddwydio yn ddigon iawngred, dywedwch wrtho mai 'Cylchgrawn Cenedlaethol,' ac nid un sectol, nac Ymneilltuol, na Phrotestannaidd chwaith, ydyw Y GENINEN. Os caniatawyd i aelod o'r sect Esgobyddol hon a'r sect Ymneilltuol arall draethu ei ddewis chwedl ynddi, paham y gwarafunir i aelod o'r Unig Wir Eglwys adrodd ei freuddwyd ynddi? Chwithig o beth a fyddai i'r bobl a aethant cyn belled â Lloegr i chwilio am Undodiad o Sais i'w cynrychioli yn y Senedd, ymgodi yn fy erbyn i, sy'n Gymro ac yn Gristion.)

Mi a ddywedais y cyhoeddwn yr araith, a glywais yn fy

mreuddwyd, yn *seiniadol,* hyd y gellid gwneud hynny â'r llythrennau sydd yn awr ar arfer. Wrth hynny, nid oeddwn yn meddwl chwanegu at y lliaws o gynigion a wnaed yn ddiweddar i ddiwygio yr orgraff, ond yn unig ddangos, mewn ffordd o lythrennu ag oedd gynt yn gyffredin, pa fodd yr oedd areithiwr o Gymro yn llefaru Cymraeg yn y flwyddyn 2012; ac nid yw y Cymraeg hwnnw fawr amgen na Chymraeg ymddiddanol yr oes hon, a'r tair neu bedair oes o'r blaen.

Yn ofer y ceisir dwyn i mewn orgraff olygus a gweddol gyson hyd oni cheir arwyddion syml i ddynodi seiniau syml; megis *x* yn lle *ch*; *d* groesog yn lle *dd; v* yn lle *f; f* yn lle *ff* a *ph*; *q* yn lle *ng*; *l* groesog neu *l* Ysbaeneg yn lle *ll*; *z* yn lle *th*; *j* yn lle *i* gytseiniol; *u* yn lle *w* lafar; *y* yn lle *u; ac ɥ,* sef *h* wrthdroedig, yn lle *y* fynglyd.

Hyd oni cheir hynny, y mae yn well gennyf fi ymfoddloni ar ddewis un o'r dulliau, neu ynte geisio dwyn o dan drefn a dosbarth yr amryw ddulliau gogyffelyb, oedd yn arferedig yn y Dywysogaeth ers rhai oesoedd cyn y 'Diwygiad' crefyddol o waith y Methodistiaid, a'r 'Diwygiad' ieithol o waith Dr. Puw.

A hyd yn oed pe ceid *egwyddor* berffaith, ni ellid byth gael *orgraff* agos i berffaith o ran sain, heb newid a dieithrio ffurf y geiriau yn ddirfawr; canys er y dywed y Dr. Alexander Ellis mai fel *cannht* yr ydys yn seinio *cant*, ac mai fel *eingh calon*, ac *yng credu*, yr ydys yn seinio *ein calon*, ac *yn credu*; eto nid wyf yn meddwl y gwnâi cariad neb tuag at y dull seiniadol o lythyrennu ei gymell ef i fod mor anhrugarog o gyson ag i ddolurio llygaid darllenwyr â'r ffurfiau gwrthun hynny. Yr un ffunud, er y dywed y dysgawdwr Rhys mai fel *lletty* yr ydys yn seinio yr enw cyfansawdd *lled-ty*, ac mai fel *lletya* yr ydys yn seinio'r ferf darddedig *lled-ty-a*, eto, gan na ellir dim *cam*seinio y ffurf gyffredin *llettya* tra y byddo yr acen ar y sill nesaf i'r olaf, y mae yn ymddangos i mi ar hyn o bryd mai gormod o beth a fyddai ychwanegu at anawsterau ysgrifenwyr cyffredin trwy eu rhwymo i dynnu a rhoi un o'r ddwy *t* yn ôl deddfau caethaf seiniadaeth. Er hynny, os gwelaf y bydd gŵr cyfarwydd a 'llawn deugain mlwydd oed' fel Mr. Rhys yn parhau i farnu fod achos digonol am wneuthur hynny o beth, mi a ymostyngaf i'w farn.

...

Gan nad pa orgraff a ddewiso dyn, rhaid iddo ymddygymod â lliaws o eithriadau. Nid rhwng orgraff amherffaith ac orgraff berffaith y rhaid dewis, eithr rhwng orgraff amherffaith a'r un leiaf amherffaith.

I, yn, ych ac *u* oedd ansoddeiriau rhagenwol y darlithiwr a glywais i yn llefaru; er hynny, rhag gwneud ei ddarlith yn rhy annarllenadwy i Gymry yr oes hon, ysgrifennu a wneuthum *ei, ein, eich* ac *eu,* yn ôl yr arfer gyffredin. Am yr un achos, ni throais mo'r *ae* yn *ay,* na'r *oe* yn *oy* neu yn *ou* yn y fath eiriau â *maen, moes,* a *moelyn.*

Rhag cuddio gwreiddyn neu fôn gair, yr wyf yn ymatal rhag dangos dylanwad *i* ac *u* ar ei gilydd mewn geiriau o fath *eithyr, unig, duwiol,* a *datguddiad*; er y gwn mai *eythyr, inig, diwiol,* a *datgiddiad* ydynt yng ngenau pawb oddi eithr y Phariseaid o lenorion sy'n gofalu mwy am lythyrennau nag am eiriau.

Mi a fynnwn i ychydig o eiriau bach cyffredin fel *ar, er, os* gael eu cyfrif yn eithriadau i'r rheol sy'n gofyn dyblu rhai cytseiniaid er mwyn dangos sain fer.

Gan fod yr *y* fynglyd yn fwy neu lai ber ei sain, nid wyf yn dyblu cytsain ar ei hôl hi mewn geiriau cyffredin fel *yn, yr, yma, dyma, Cymro,* nac mewn geiriau mwy anghyffredin chwaith, pan na byddo dim arall yn y gair ei hun yn gofyn hynny; felly yr wyf yn gŵyro oddi wrth 'y rhai gynt' trwy ysgrifennu *bysedd,* &c., ac nid *byssedd, &c.*

Mi a ddywedais mai Gwyneddwr oedd y darlithiwr, am fod yn hoffach ganddo yr *a* na'r *e.* Erbyn hyn yr wyf yn teimlo fod y rheswm am dybied hynny yn rhy wan, am y gallasai y gŵr yn hawdd arfer yr *a* o ddewisiad, neu ynte am fod llediaith Gwynedd erbyn ei amser ef wedi gorfod ar ledieithoedd y taleithiau ereill.

Gan nad beth am hynny, nid Cymraeg plwyfol mo'i Gymraeg ef; ac, yn wir, o'r braidd y gellir dywedyd ei fod yn Gymraeg taleithiol chwaith; canys os ydyw efe mewn rhai cysylltiadau yn troi *au* ac *ae* yn *a* yn ôl arfer y Gogleddbarth, y mae efe yn fynych hagen yn troi *ai* yn *e* yn ôl arfer y Deheubarth a'r Canolbarth.

Diau y bydd yn ein gwlad ni, fel y bu yng ngwlad Groeg, ryfel hir rhwng pobl yr *a* a phobl yr *e*, ac na bydd heddwch perffaith hyd oni chytuna Ioniaid y De a Doriaid y Gogledd i arfer llediaith arall fwy cyffredinol, a fyddo'n cyfranogi o nodweddion eu lledieithoedd neilltuol hwy, sef Cymraeg Atig; yr hon a fydd yn rhy fain i fod yn llydan fel Cymraeg Dorig, ac yn rhy lydan i fod yn fain fel Cymraeg Ionig.

Gwarchod fi! a ydwyf finnau hefyd ym mhlith y rhagymadroddwyr? neu a euthum i yn debyg i fân ddwnedwyr newyddiaduron Cymru, y rhai sy'n mynnu traethu eu hopiniynau eu hunain yn lle cofnodi yn syml yr hyn a welsant ac a glywsant? Bellach, llefared arall; a chadwer finnau rhag dodi cymaint â 'Chlywch, clywch' rhwng crymfachau[3]:

GYFEILLION, Fel y mae'n hysbys ichi, yr ydwi heddiw yn mynd i dreuthu yn fras ar ACHOSION CWYMP PROTESTANIATH YNG 'HYMRU; a chan fod yr achosion

---

[3] Er nad yw yn perthyn i mi ymdrafferthu i gadarnhau yr hyn a ddywedir gan un arall, eto, wrth arch y Golygydd, yr wyf yn cyfeirio ar odre'r dalennau at y llyfrau y mae yn hawddaf i'r darllenwr cyffredin eu cael a'u deall, er mwyn chwilio 'a ydyw y pethau hyn felly.'

Rhag i ddarllenwyr tra ieuaingc, a mân feirniadon dienw ac anenwog, wneud eu hunain yn ffyliaid, fel y gwnaeth rhai eraill gynt, ar ôl ymddangosiad Defoe's *Shortest Way with Dissenters*, efallai y dylwn hysbysu y bydd fy amcan yn cyhoeddi yr araith hon yn fwy amlwg yn y rhan olaf ohoni. Ac os na bydd yr amcan hwnnw yn gymeradwy gan bob gŵr sy'n rhoi mwy o fri ar Gristionogaeth a Chymroaeth nag ar sectyddiaeth Seisnigedd, yna fe fydd yn rhydd i'r Golygydd gyhoeddi yn niwedd y gyfrol ym mha le yr wyf yn trigo, fel y gallo pleidwyr rhyddid barn a llafar gael hyd imi, ac ymddwyn tuag ataf yn ôl eu hanian a'u harfer.

Gan fod 'y cyfundeb cryfaf yng Nghymru,' *alias* 'yr Hen Gorff,' yn 'wan trwy y cnawd,' hynny ydyw, yn dra chroen-denau; ac heb ddysgu goddef, hyd yn noed mewn *cylchgrawn cenedlaethol*, i Gatholigion ysgrifennu am y Protestaniaid fel y bydd y Protestaniaid yn ysgrifennu am y Catholigion, yr wyf, gan gyd-ymddwyn â'i wendid ef, yn gadael allan y pethau hyllion a ddywedodd yr areithiwr am gymeriad Calvin. – *Y Cofnodwr.*

hyn yn llawer, ac yn amriwio o bryd i bryd, diau yr ymddengys fy sylwada, y waith hon, yn debycach i gofres nag i ddarlith; ond yn y darlithiau a ddaw, mi a ymdriniaf yn bur helaeth â'r pyngcia ag yr ydwi yn awr yn cyffwrdd yn unig â nw.

Fe ellir priodoli cwymp Protestaniath yn y Dywysogath mewn rhan i achosion cyffredinol, ac mewn rhan i achosion neilltuol. O blith yr achosion cyffredinol a ddylanwadodd ar bob gwlad, odid na bydd yn ddigon imi heddiw enwi hwn yma: sef *cynnydd gwybodath y werin, yn enwedig mewn rhesymeg ac mewn hanesyddiath.*

Ni fynnwn i ddim rhoi ar ddyall nad oedd y dosbarth dysgedicaf o'r Protestanied yn yr oesoedd o'r blaen yn gwybod rheola rhesymeg cystal â chitha; ond oblegid rhagfarn ne ddiofalwch, ne riwbeth, ni fyddenw byth yn cymhwyso'u rhesymeg at y grefydd Brotestannadd. Pe bysenw'n meddwl yn ddwys ac yn ddiragfarn, ie, am hanner awr yn unig, nw a welsen mai Protestaniath ydi'r gwrthunbeth anghysonaf y clywyd erioed sôn amdano.

'D ydi-hi ddim yn gyfundrath o gwbwl; cymysgedd ydi-hi o ychydig ne lawer o betha Catholig wedi'w neuthur wrth fympwy y cymysgwr, ac yn ymnewid yn barhaus yn ôl dyall dyn a dull yr oes. Yn wir, nid mewn credu dim pendant y mae hi yn gynwysedig, eithyr yn hytrach mewn ymwrthod â mwy ne lai o athrawieutha, a dyletswydda a defoda'r Eglwys Gatholig.

Fe fydde rhai yn ymwrthod â rhiw athrawiath neu gilidd am ei bod yn ddyrys; rhai yn ymwrthod â rhiw ddyletswydd neu gilidd am ei bod yn anodd, ac erill yn ymwrthod â rhiw ddefod neu gilidd am ei bod-hi'n drafferthus. Fel engraff, fe ymwrthododd y rhan fwyaf â chyffesu er mwyn gallu pechu yn ddirgel gyda mwy o rysedd; ac fe ymwrthododd y rhan fwyaf ag athrawiath y purdan, nid am eu bod-nw yn gallu profi fod yr athrawiath honno yn erbyn ysgrythur, traddodiad a rheswm, eithyr am ei bod-hi'n cymell dyn nid yn unig i gredu yng 'Rhist er mwyn bod yn gadwedig, ond hefyd i ddilin Crist er mwyn bod yn berffath, a thrwy hynny ochel y tân a drefnwyd i boeni ac i buro y rhai amherffath. Eithyr fe awgrymwyd o'r blaen nad â'r un petha yr oedd pawb o'r Protestanied yn ymwrthod; canys yr oedd yr hyn a ystyrid yn athrawiath sylfeunol gan rai yn athrawiath ddamiol gan erill. Er engraff, yr oedd rhai ohonynw yn cyhoeddi mai melltigedig ydi'r dyn na chredo fod Duw yn Dri Pherson, ac erill yn cyhoeddi mai politheistiad ydi'r dyn a gredo hynny; rhai yn credu fod yr Iesu yn Fab Duw, ac erill yn credu mai dyn amherffath oedd-o; rhai yn dywedyd fod credinwyr yn bwyta cnawd Mab y Dyn, ac erill yn teuru mai ei Ysbryd-o y maenw yn ei fwyta; rhai yn dywedyd fod bedydd yn tycio llawer, rhai yn dywedyd nad ydi-o'n tycio dim, ac erill yn esbonio ei fod-o'n tycio rhiwfaint rhwng llawer a dim; rhai yn dywedyd mai *disgin* a neuthoni o Addaf ac Efa, ac erill yn egluro yn ddysgedig mai *esgyn* a neuthoni o riw epaod cynffonnog; rhai yn dywedyd fod gweithredoedd da yn angenrheidiol i ryngu bodd Duw, ac erill yn dywedyd nad ydynw ddim; rhai yn synio fod Peder a Phaul yn fwy ysbrydoledig na Göthe a Carlyle, ac erill yn ama hynny; rhai yn dywedyd mai yr eglwys ydi 'colofn a sylfan y gwirionedd,' ac erill yn dywedyd y bu'r gwirionedd, am fil o flynyddoedd o leia, yn sefyll ar ei sodla'i hun; rhai yn dywedyd gyda Phaul, 'Tawed y gwragedd yn yr eglwysi,' ac erill yn llefan gyda Booth, 'Y neb sydd ganddo dafod i frygawthan, brygawthed'; rhai yn credu, yn ôl proffwydoliath Malachi, y dylid offrymu arogldarth ac offrwm pur i enw Duw ymhlith y cenhedlodd, ac erill yn credu fod cyfnod yr arogldarthu a'r offrymu wedi mynd heibio; rhai yn meddwl fod gweddïa saint perffeithiedig yn tycio mwy eroni na gweddïa saint y ddeuar, ac erill yn meddwl yn wahanol; y rhan fwyaf ohonynw hyd riw gant a hanner o flynyddodd yn ôl yn gwan gredu fod uffern, ond pan euthonw i ofni y galle'r uffern honno fod wedi ei darparu ar gyfer rhiwrai heblaw cythreulied a Chatholigion, a'u gelynion nhw'n hunen, nw a daflason uffern i'r un diddymdra ag y taflasenw'r purdan iddo.

Chi a welwch, gyfeillion, fod yn annichon i mi ddywedyd pa beth ydi Protestaniath, canys y mae-hi fel siaced Peder wedi ei chwtogi a'i chyfnewid gan Sïon, a hynny gymin nes peidio â bod yn siaced o gwbwl.

Ac arfer gair athronyddol, math o negyddiath ydi Protestaniath; a 'd ydi hynny mewn iaith ddiwinyddol yn ddim amgen nag anffyddiath – hollol ne rannol. Y mae hynny o betha pendant oedd gynt yn perthyn i Brotestaniath, megis etholedigath Calvin a chyfiawnhad Luther, wedi eu bwrw ymaith ers canrifodd. Yr hawl i brotestio yn erbyn barn ac arfer yr Eglwys gyffredinol ydi'r unig beth y mae'r Protestanied yn dal gafal ynddo. Ac y maenw wedi protestio a phrotestio yn erbyn cynifer o betha fel nad oes ganddynw mwyach ddim un athrawiath ysbrydol i'w chredu nac un ddyletswydd foesol i'w gneuthur. Oddi eithyr y lluodd a ddychwelodd i'r Eglwys, y mae y rhan fwyaf o'r gweddill wedi mynd yn anffyddwyr hollol, fel yr aeth gynt epil yr Hugnotied yn Ffraingc. Y mae'n wir fod eto yng 'Hymru rai cannodd o Brotestanied ar wasgar nad ydynw ddim yn anghredu pob peth, ac na fynnanw ddim cael eu cyfri gyda'r anffyddwyr, ond y maenw yn rhy anamal i ymffurfio yn secta, ac yn rhy anghydfarn i allu ymuno yn un sect. Y maenw fel llawer o'u blaen yn ceisio sefyll ar lain o draeth byw rhwng môr a thir; a rhaid iddyn nhwtha cyn hir naill ai dychwelyd i'r tir neu ymdaflu i'r môr. Nid oes dir cadarn y gellir sefyll arno rhwng Catholigath ac anffyddiath.

Fe all yr ifengaf ohonochi ddwed pa beth ydi Catholigath, a pha beth ydi anffyddiath wynebagored hefyd; ond pwy ohonochi, ie, pa un o'r Protestanied eu hunen, a all ddwed pa beth ydi'r credo Protestannadd? Profwch hynny eich hunen trwy fyned at un o'r Protestanied sydd yn y wlad, a'i annog i ddychwelyd i hen eglwys ei dada. Odid fawr nad canmol Protestaniath a neiff-o; yr hyn a ddyry i chitha gyfleustra i ofyn Protestaniath pwy y mae-o'n ei chanmol: ai Protestaniath Harri VIII ynte Knox; ai Protestaniath Luther, ai Zuinglius, ynte Calvin; ai Protestaniath Brigham Young ynte Bwth I?

Hyn yn ddiau a fydde'i ateb: "D ydw i'n canmol Protestaniath neb heb law fym 'Rhotestaniath i fy hun.'

Gan fod Protestaniath yn gydgasgliad o ronynna mor anghydiol, efalle fod yn rhyfedd gan rai ohonochi ei bod-hi wedi ymddal ynghyd am gyhyd o amser; ond chi a beidiwch â rhyfeddu pan ddywedaf wrthochi mai trwy wadu ei hun y peidiodd Protestaniath â marw yn yr esgoreddfa. Hawl pob dyn i farnu drosto'i hun am byngcia datguddiad ydi'w hegwyddor sylfeunol hi; ond ar ôl rhoddi i ddynion yr hawl hon, er mwyn gwrthwynebu ohonynw awdurdod yr Eglwys Gatholig, hi a ataliodd yr unriw hawl oddi wrthynw, trwy eu cymell i ymostwng i awdurdod eglwys neilltuol.

Yr oedd 'Rhydd i bob dyn ei farn ac i bob barn ei llafar' yn burion arwyddair wrth ymladd yn erbyn y Pab; ond pan ymgynullodd at Luther 'bob gŵr helbulus, a phob gŵr oedd mewn dyled, a phob gŵr chwerw'i enad, fo aeth yn dywysog arnynw,' ie, yn bab. Yna, fel pob chwyldroadwr, fo ddatblygodd faner arall ag arni yr arwyddair hwn: 'Rhydd i bob dyn farnu fel Luther, a llefaru yng'eiria Cyffes Ffydd Augsburg; ond melltigedig a fyddo pob dyn a farno ac a lefaro fel Leon X, fel Zuinglius, fel Calvin, ac fel Carlostadt.' A'r un geiria, oddi eithyr fod yr enw personol yn wahanol, oedd ar faneri Zuinglius, a Chalvin a Charlostadt hefyd.

Fel credo gosodedig, fe ddiflannodd Protestaniath gyda'i bod-hi wedi ymddangos; ond fel sect, ne'n hytrach fel cynulliad o secta yn ymnewid ac yn ymgenhedlu y naill o'r llall, hi a barhaodd am ganrifodd. Am ei bod yn gynwysedig o secta, ac iddi Gyffesion Ffydd i gyfyngu ar briod farn dyn, sef ydi hynny: am iddi frysio i ddynwared Catholigath trwy bwyso ar awdurdod yn lle ar ryddid barn, y llwyddodd-hi i hongian byw cyhyd ag y gnaeth-hi. Eithyr, fe ddoeth yr amser pan y bu'n gywilyddus gan ddynion ymgyfenwi yn Brotestanied, a nhwtha, fel y Catholigion, ac am weulach rheswm na'r Catholigion, yn gwisgo am eu gwddw rwyma caethiwed yn lle gwisgodd rhyddid. A dyma'r pryd y cafodd egwyddor gyntefig Protestaniath gyfleustra teg i ddinistrio Protestaniath ei hun.

Pa beth bynnag a feddylioni am y Protestanied a fynson fod yn Brotestannadd, rhaid inni addef eu bod-nw'n onest yn eu ffordd, ac yn gyson â nhw'u hunen.

'Pa beth ydi Protestaniath (meddanw) amgen na hawl y dyn

unigol i brotestio yn erbyn y lliaws, pan y byddo'r lliaws hynny
yn cytuno i gyfyngu ar ei hawl-o, trwy gymell arno eu credoa, eu
Cyffesion Ffydd, eu Rheola Disgybleuthol, a'u defoda? Pa reswm
a allwni ei roi am aros y tu allan i'r Eglwys Gatholig, a ninna
wedi mynd allan ohoni yn unig am ein bod yn gwrthwynebu
egwyddor ag yr ydani yn awr yn ei hamddiffyn ac yn gweithredu
wrthi? Ai er mwyn dewis Martin Luther yn bab y cefnasoni ar
Leon X? A adawsoni'r Eglwys er mwyn ymgrebachu mewn sect?
A fwriasoni ymaith fantell ddi-wnïad o ddiwinyddiaeth, a gyd-
dyfodd â chorff yr Eglwys dros ystod mil a hanner o flynyddodd,
er mwyn gwisgo rhiw glytwaith o Gyffes a ddarparwyd mewn
brys a llid gan ychydig o feidrolion yn Augsburg? Pwy yn awr sy'n
malio pa rai oedd opiniyna Luther ne Calvin ne Cranmer, na neb
arall o seiri "athrawieuthau amriw a dieithyr" y deg a'r seithfed
canri? Croeso i bob un ohonynw ei opiniyna'i hun; eithyr pwy
a osododd hwn ne arall ohonynw yn farnwr ne'n llywodreuthwr
arnon ni? Y mae'n wir fod Calvin yn camol ei hun ac yn difenwi ei
wrthwynebwyr cystal â neb fu yn y byd erioed, ond 'd ydi hynny
ddim yn ein rhwymo ni i'w ganmol-o.[4] Y mae'n wir fod Luther
yn honni ei fod-o wedi derbyn ei ddaliada o'r nef [5] (oddi eithyr
ei ddysgeidiath am yr offeren, yr hon, yn ôl ei addefiad o'i hun, a
gafodd-o gan Satan),[6] ond y mae pawb yn awr yn ddigon grasol
i dybied mai pan y bydde chwiw o wallgofrwydd arno y bydde-
fo'n cablu fel hyn. Yr ydani'n gofyn eto (meddanw) *pa faint mwy
o hawl oedd gan y pabau ymetholedig hyn i ymawdurdodi ar erill nag
oedd gan erill i ymawdurdodi arnyn nhw?* Y mae pabau ac arglwyddi,
a pheneithied, a secta, a Chyffesion Ffydd, a holiaduron, ac

---

[4] Bossuet, *Histoire des Variations*, Tome i, 420.

[5] Cyfeirio yr ydys yma, y mae'n amlwg, at yr ymadroddion cableddus hyn: *Certum est
dogmata mea habere me de coelo. Non sinam vel vos vel ipsos angelos de coelo de mea doctrina
judicare.*

[6] *Europ. Civilisation*, Note 11, p. 414.

awdurdod o bob math, yn gwbwl anghyson ag egwyddorion Protestaniath. Pan y dygwyd y petha hyn i mewn iddi, hi a ddylse newid ei henw neu ynte beidio â bod. Y mae arnon ni Brotestanied lawer o ddiolch i Luther am gychwyn treiglo'r bêl; eithyr wedi i'r bêl fynd o'i ddwylo-fo, yr ydani'n heuru nad oedd ganddo fo na neb arall hawl i osod terfyn i'w rhediad-hi.

'Efalle y dywed rhai nad ydi'r egwyddor sylfeunol y soniwyd amdani yn cynnwys dim mwy na hawl pob dyn i esbonio yr Ysgrythyra yn ôl ei ddyall ei hun; ond 'd ydi'r eglurhad yma yn lleihau dim ar anghysondeb y Diwigwyr a'u dilynwyr; oblegid gan fod dyall dynion yn amriwio yn ddirfawr yn ôl eu natur, eu teimlad, eu dawn, a'u dysg-nw, fe ellid disgwyl i rifedi'r gwahanol farna fod agos gimin â rhifedi'r esbonwyr; yr hyn a fydde'n rhwystyr digonol i neb allu gneud un sect ohonynw. Ond pwy a ddichon ateb y gofyniad: "Beth ydi gwirionedd? ne gan bwy y mae hawl i benderfynu pa esboniad sy'n gywir?" Y darllenwr ei hun, meddwn ni, er lleied a fyddo'i ddawn a'i ddysg. "Yr hen Eglwys apostolig a chatholig trwy ena'i phen deuarol," ebe'r Catholigion. "Sylfeunwyr y sect ag y mae y darllenwyr yn eulodau ohoni, ne'n hytrach: y gwŷr a osodwyd, neu a ymosodason ohonyn eu hunen, i lunio Cyffes Ffydd i'r sect honno," ebe'r rhan fwyaf o Brotestanied.

'I ni y mae y syniad olaf o'r tri yn wrthunach na'r ail, sef syniad y Catholigion.

'Ond paham, atolwg, yr ydys yn cyfyngu Protestanied i ddangos eu Protestaniath trwy *esbonio* yr Ysgrythyra? A ydys yn disgwil i bleidwyr barn briod lyngcu pob peth arall cyn ei brofi-o yn gyntaf? Beth am y Canon? Pwy sydd i benderfynu nad oes yn y Testament Newydd na mwy na llai o lyfra nag a ddyle fod ynddo? Ai y darllenwr ei hun? ai y rhan fwyaf o Gristionogion? ai pawb, trwy gydsyniad cyffredinol? ai ynte pwy? Os atebir mai gwell ydi ymddiried y pwngc ynghylch nifer y llyfra i wŷr cyfarwydd, oni ddywede rhiwun, am gystal rheswm, y bydde'n well ymddiried pwngc yr esbonio hefyd iddynw? A pha sicrwydd sydd y bydde'r gwŷr cyfarwydd eu hunen yn cytuno yn y diwedd? Os cyffyrddodd Luther â'r Canon, pa fodd y galle fo na neb o'i ddilynwyr orchymyn i *ni* gadw'n llaw oddi wrtho? Ac os atebir fod Luther yn fwy dysgedig na ni, pwy sydd i brofi hynny?

'Y mae'n hysbys nad oedd na phroffwyd nac apostol yr ofne Luther roi cic iddo, os bydde'r proffwyd ne'r apostol hwnnw yn anghytuno ag ef ynghylch cyfiawnhad trwy ffydd. Am hynny fo ddywedodd: "Chwedleuwr ydi Job." "Nid oes gan y Pregethwr na botasa nac ysbarduna; gyrru y mae-o yn 'rhaed ei hosana." "Y mae'r epistol at yr Hebreied yn cynnwys cyfeiliornada sy'n wrthwynebol i holl epistola Paul; y mae'n annichon cael hyd ynddo i ysbryd apostoladd a dwyfol." "Epistol sofl yw epistol Iago."[7] Os oedd yn rhydd i Luther ddangos ei gas at rai o sgrifenwyr y Testament Newydd, paham na chawn ninna neud yr un ffunud? Paham, er engraff, na chae rhiw esgob Seisnig sy'n chwenychu ail briodi, roi cic i'r epistola bugeiliol o achos i'w hawdwr-nw feiddio dweud fod yn rhaid i esgob fod yn ŵr un wraig? Os pwngc agored oedd pwngc y Canon gan Luther, y mae'n wiw iddo fod yn bwngc agored gan erill hefyd; ac yn wir, pwngc agored a ddyle fod pob pwngc dyrys gan Brotestanied egwyddorol.'

Pan ddechreuodd Protestanied lefaru fel hyn, yr oedd yn hawdd rhagweled yr ymchwale'r secta Protestannadd ar fyrder.

O'r blaen, yr oedd y secta Protestannadd yn byw am fod yr egwyddor Brotestannadd wedi'w chladdu; o hynny allan fe farweiddiodd y secta Protestannadd am fod yr egwyddor Brotestannadd wedi atgyfodi. Hyn ydi swm y cwbwl a ddywedwyd: sef, mai yn egwyddor ac nid yn gorff y dichon i Brotestaniath fyw yn hir.

Ynglŷn â'r hyn sy newydd ei dreuthu, y mae un anghysondeb arall a barodd i'r dosbarth mwy rhesymegol ddarfod â Phrotestaniath: sef gwaith y Protestanied yn teuru y galle'r Testament Newydd fod yn anffeuledig heb fod yr Eglwys hefyd

---

[7] *Encyclopédie Théologique*, publiée par L'Abbé Migne.

yn anffeuledig. Nw a barhason i deuru hynny ar y Cyfandir hyd y deg a seithfed canri; ac yn yr ynys hon hyd ddiwedd y deg a nowfed canri.

Ni raid imi ddim ymdroi i ddangos i chi, sydd yma heddiw, fod anffeuledigrwydd y Testament Newydd yn gorffwys ar anffeuledigrwydd yr Eglwys. Os cyfeiliornodd hi wrth sefydlu'r Canon, yna y mae y Canon ei hun yn gyfeiliornus, a'r Protestaniaid hefyd yn cyfeiliorni wrth apelio ato. Yr oedd Protestaniaid yr oesodd gynt yn llefaru fel pe bysenw'n meddwl fod Duw wedi rhoddi'r Testament Newydd yn uniongyrchol â'i ddwylo'i hun i'w tada-nw, fel y rhoes-o'r gyfraith i Foesen ar fynydd Sina; eithyr, yn y man, fe argyhoeddwyd y rhai mwya crefyddol ohonynw mai yr Eglwys Gatholig, ymhen rhai oesodd ar ôl yr apostolion, a gasglodd y Sgrythyra ynghyd, o dan arweiniad yr Ysbryd, ac a'u traddododd-nw i ni.

'A wyti'n dyall y petha yr wyti yn eu darllen?' ebe Phylip wrth yr eunych.

'Pa fodd y galla-i,' ebe fynta, 'oddi eithyr i riwun fy nghyfarwyddo-i?'

Yn awr, pa ddyn, ne pa ddosbarth o ddynion, sy cyn gymhwysed i gyfarwyddo darllenwr annyallus ynghylch meddwl ymadroddion Duw â'r hen Eglwys yr ymddiriedodd Duw iddi amdanynw? Bwrier mai y Bibil yn unig ydi llyfr cyfrath anffeuledig y Cristion, y mae ei anffeuledigrwydd-o yn gwbwl ofer heb farnwr anffeuledig i'w egluro-fo, a'i iawn gyfrannu. Pa mor gywir bynnag ei farn, a pha mor ysbrydol bynnag, a fyddo'r dyn unigol, 'nid oes un broffwydoliath o'r Ysgrythyr o ddehongliad priod.'

Eithyr yr oedd, ysywath, nifer mawr o Brotestaniaid erill nad oedd ganddynw mo'r galon hawddgar a da oedd gan y rheini. Er hynny, fe fynne'r rhain hefyd ymddwyn yn gyson; felly, ar ôl gweled na allenw yn rhesymol ddim myntumio fod y Sgrythyrau yn anffeuledig heb fyntumio fod yr Eglwys hefyd yn anffeuledig, nw a drosion i deuru nad oedd na'r Eglwys na'r Ysgrythyra yn anffeuledig. Belled y gall dyn wrthgilio ar ôl ymwrthod ag awdurdod: cadarn sail pob cymdeithas!

Dyma un peth arall a barodd i lawerodd ddiflasu ar Brotestaniaeth: sef anghysondeb pleidwyr rhyddid barn, yn anad neb, yn tarfu, yn gorfodogi, ac yn erlid y rhai a feiddien farnu yn wahanol iddyn nhw.[8]

Yr oedd y *gallu* i erlid, yn y modd mwyaf eithafol, yn dyfod o gysylltiad y prif secta â'r wladwriaeth; ond yr oedd y *duedd* i erlid cyn gryfed yn y secta Ymneilltuol ag yn y secta gwladwrieuthol – yn gryfach yn wir; am fod euloda'r secta hynny yn byw mewn byd llai nag euloda'r secta sefydledig. Dros ennyd, fel y dywedwyd, y cafodd Protestaniaeth Ymneilltuol gyfleustra i garcharu ac i ladd yn y wlad hon; ond yn yr hyn a eilw'r Seuson yn *petty persecution* fe ellir dywedyd amdani yn ei chaethiwed mwya: 'Yr hyn a allodd hon, hi a'i gnaeth.'

Ni fu erioed ei rhagorach-hi am ddifenwi ei gwrthwynebwyr, ac am briodoli drwg amcanion i'r rhai a ymwrthoden â hi. Gwraig anynad a fu Protestaniaeth Ymneilltuol, yn torri calon dyn heb dorri llythyren y chweched gorchymyn.

Am Brotestaniaeth sefydledig ne wladwrieuthol, fe fydde hi yn gyffredin yn torri pen dyn cyn cymeryd amser i dorri'w galon-o. Y Brotestaniaeth hon a olyga Rousseau yn fwya neilltuol pan y dywedodd-o 'fod y Diwygiad Protestannadd yn anghydoddefgar o'i grud, ac fod ei awdwyr ymhob man yn erlidwyr.'[9]

Er fod llawerodd wedi ymneilltuo o'r secta sefydledig, a'r rheini wedi gneud cryn lawer o ddisgyblion ymhlith y werin, eto fe ellir dweud mai gwladwrieuthol yn anad un grefydd ydi Protestaniaeth, a'i bod o'r dechreuad yn hytrach yn grefydd y pendefigion nag yn grefydd y bobol.[10] Trwy ymgysylltu â brenhinodd a phendefigion er mwyn darostwng gweinidogion

[8] Lingard's *Hist.*, vol. viii, 178, 195.

[9] *Lettres de la Montagne.*

[10] Balmez, *European Civilization*, p. 340, a Mensel's *Deutsch. Litt.*, cyf. i.

yr Eglwys y gallodd-hi ymsefydlu yn yr Almaen ac ymhob gwlad arall. Nid rhyfedd gan hynny ei bod-hi mor falch; a chan ei bod-hi mor falch, nid rhyfedd ei bod-hi mor erlidgar.

Eithyr y *mae'n* rhyfedd − yn rhyfedd iawn, fod dynion a ymwahanson oddi wrth y Catholigion am y rheswm fod gan bob dyn hawl i farnu drosto'i hun, yn erlid erill oblegid fod y rheini yn hawlio yr un fraint â nhwtha. Yr oedd gan y Catholigion riw fath o esgus, a dweud y lleia, am erlid rhai anghydfarn, canys y nhw oedd mewn awdurdod − *in possession*, fel y dywed y Seuson, ac erill oedd y gwrthryfelwyr; ac heblaw hynny, y mae y Catholigion erioed yn credu fod camfarn mor feius â chamweithred.

Ac onid un yn *dewis* ei grefydd yn lle'i derbyn hi ar bwys tystiolath, a thrwy awdurdod − ne, mewn geiria erill, onid un yn barnu drosto'i hun, a feddylir yn y Bibil wrth 'heretic'? Fe allwn ni gan hynny ddwedud mai hereticied a erlidiason ni, eithyr ni all y Protestanied heuru mai hereticied a erlidiason nhw wrth ein herlid ni.

Wrth sôn am erledigath, yr ydwi'n dyfod at beth arall a ddywedisi yn y dechra: sef fod cwymp Protestaniath i'w briodoli nid yn unig i gynnydd gwybodath y werin mewn rhesymeg, ond hefyd i gynnydd eu gwybodath-nw mewn hanesyddiath.

Hyd ddechra'r igieinfed canri yr oedd yr hanesyddion Protestannadd agos i gid yn dychmygu'w ffeithia yn lle chwilio amdanynw; a'r ychydig o rai ymchwilgar hefyd, gan faint eu rhagfarn, yn cuddio ffrwyth eu hymchwil ac yn treuthu celwydda o'u gwirfodd. Llyfra, ne grynhodeb o lyfra, yr ystorïwyr anwybodus a'r hanesyddion rhagfarnllyd hyn a ddysgid yn yr holl ysgolion, ac nid rhyfedd gan hynny fod cenhedlath ar ôl cenhedlath yn y gwledydd Protestannadd yn credu celwydd.

Er mwyn dangos ichi mor anwybodus oedd y bobol yn yr oesodd tywyll pan oedd Protestaniath yn ffynnu yn y tir, mi a ddywedaf ichi ffaith y gellid ei chadarnhau â mil o dystioleutha: sef, fod y cyffredin yn credu yn eu calon, ie, yn dywedyd yn uchel, fod y Catholigion wedi erlid cymin ar y Protestanied ag a

erlidiodd y Protestanied arnyn nhwtha; a pha ŵr Catholig bynnag
a lede'i lyged mewn syndod, ne a lede'i geg i chwerthin, wrth
glywed heuriad mor wrthun, fe ofynnid iddo yn hyderus iawn:
'Beth am dana Smithfield yn'heyrnasiad Mari Weudlyd? a pha
beth am alanas Gŵyl Bartholomëus?'

Er fod Cobbett, Froude, ac amriw Brotestanied erill, yn cyfadde
ddarfod i'r Frenhines Elsbeth grogi a datgymalu a diberfeddu a
darnio cymin bumgwaith ne chwegwaith o Gatholigion, a hynny
am weulach esgus, ag a losgodd Mair o Brotestanied,[11] eto fe
fynne'r bobol wirion alw'r gydwybodol Fair yn 'Fari Weudlyd,'
ac Elsbeth halogedig yn 'Elsa Dda!'

Pa ryfedd i anfoesoldeb fynd yn anrhydeddus ymhlith y
Protestanied, a nhwtha yn galw yn *dda* y ddynes aflanaf a chreulonaf
a mwya di-gydwybod a fu erioed ar orsedd Lloiger? Nid oes achos
i mi geisio cyfiawnhau Mair am farwoleuthu cynifer o hereticied
Protestannadd, oddi eithyr y rhai oedd, fel Cranmer a Ridley a
Latimer a Hooper a Rogers a Poynet a Sandys, yn deyrnfradwyr
hefyd; canys fe fynnodd Mair neud hyn yn erbyn cyngor caplan
ei gŵr, ac yn erbyn cyngor y Prif Archesgob Pole ei hun, cennad
y Pab, fel na ddylid priodoli ei gwaith hi o gwbwl i'r *eglwys* neu
i'r *grefydd* Gatholig.[12]

Ond pe byswn i'n byw yn amser y bobol dwylledig oedd
wedi'w dysgu i gyfenwi Mair yn 'weudlyd' a Betsan y *Vir(a)go* yn
'dda,' fe fyse arnai chwant gofyn iddynw, fel y gofynnodd llawer
un o'm blaen, y mae'n ddiau: paham yr ydachi'n ymgyffroi o
blegid yr ychydig o beneithied a losgwyd yn rhybudd i'r lliaws yn
amser Mair, ac heb gydymdeimlo â'r llawerodd a farwoleuthwyd

[11] Felly y dywed Bellingham yn *Social Aspects*, p. 154; er fy mod i wedi methu â chael
hyd i eiriau mor benodol yn Cobbett. Dweud y mae efe yn *Prot. Ref.*, viii, ddarfod i
Elsbeth ladd mwy o Gatholigion mewn blwyddyn nag a laddodd Mair o Brotestaniaid
yn ystod ei holl deyrnasiad, ac mai dynion dychmygol, gwrthryfelwyr, a *set of most
wicked wretches*, oedd y rhan fwyaf o ferthyron Foxe.

[12] Lingard's *Hist. of Engl.*, vol. v, chap. 6.

yn ddiwahaniath yn amser Harri VIII, Edward VI, Elsbeth, Iago I, y ddau Garl,[13] a Chromwel?

Ai am fod gwaed ychydig o Brotestanied yn werthfawrocach na gwaed llawer o Gatholigion?

A fyse'n well gynnochi o lawer iawn gael eich diberfeddu yn fyw gan Elsbeth na'ch llosgi ar ffagoda crinion gan Mair?

Pa fodd y profwchi fod gan Elsbeth fwy o reswm am ladd dynion o achos na fynnenw ddim derbyn ei chrefydd newydd hi nag oedd gan Mair am ladd dynion o achos iddynw adal hen grefydd a fyse yn y byd ers mil a hanner o flynyddodd?

Ie, atebwch hyn hefyd: pa beth ydi tipyn o erlid gwyllt dros ychydig o fisodd, wrth yr erlid pwyllog, penderfynol a didor a fu ar y Catholigion am dri chan mlynedd a chwaneg?

Pwy a rif fyrddiyna'r Catholigion a laddwyd, a arteithiwyd, a feuddwyd, a garcharwyd, a ysbeiliwyd, ac a ymlidiwyd o'u cartrefi ac o'u gwlad, o ddyddia Harri dew hyd ddyddia Gwilim dena?

Ond er fod creulondeb eich tada Protestannadd tuag at y Catholigion ym 'Rhydan a'r Werddon wedi bod yn fwy ac yn hwy na chreulondeb un dosbarth o bobol, o ddechreuad y creadigath hyd yr awr hon, yr ydachi yn y diwedd yn ddigon digwilidd i sôn wrthai am waith Mair! Ai dena'r cwbwl?

O, na, chi a soniasoch am ddy' gŵyl Sant Bartholomëus hefyd, onid do? A wyddochi riwbeth am ddydd Bartholomëus, ac am y dyddia blinion a arweiniodd iddo?

Os darllensochi hanes yr Hugnotied mewn rhiw lyfra heblaw llyfra'r gwyngalchwyr Protestannadd, y mae'n rhaid eich bod wedi canfod nad saint oedd y Ffrangcod hynny, eithyr gwrthryfelwyr anghrefyddol, yn ceisio rhannu Ffraingc, a sefydlu gweriniath y tu hwnt i Loire; gwrthryfelwyr a losgason igian mil o eglwysi, a naw cant o drefi, ac a laddason luodd o'u trigolion-nw, yn wŷr, gwragedd a phlant; gwrthryfelwyr a dorfynyglason 256 o offeiried

---

[13] Er mwyn Cymry Rhydychen, mi a ddylwn egluro mai Dsiâms, neu Dzjâms, ydyw Iago, ac mai Tsiarls ydyw Carl (neu Siarl), yn eu hiaith hwy.

a 112 o fynachod yn Dauphiné yn unig, ac a dreisiason fynachesi a gwyryfon ymhob parth;[14] gwrthryfelwyr a wahoddason estroniaid i'w cynorthwyo i ymosod ar eu cydwladwyr eu hunen, ac a roison Dieppe a Havre i'r Seuson.

Paham yr ydachi'n sôn am y gyflafan a fu ar y Protestanied ym 'Haris a lleodd erill, heb sôn am y cyflafanau a fu cyn hynny ar y Catholigion yn Nimes, yn Navarreins, yn Roche-Abeille a Pau? ac oni wyddochi mai o achos i Coligny, bleunor yr Hugnotied, gyflogi dyhiryn i furnio'r Duc Guise yn Orléans y darfu i fab y Duc Guise hwnnw furnio Coligny ym 'Haris? Ac os bu a wnelo'r brenin â'r gyflafan, fe ddylid cofio fod Coligny cyn hynny wedi gneuthur cynllwyn i'w gipio ymath, os nad i'w ladd-o hefyd; a phe na byse'r breninieuthwyr wedi achub y blaen ar eu gelynion, onid oes sail dda i benderfynu y gneuthe'r Hugnotied iddyn nhw yr hyn a neuthon nhw i'r Hugnotied?[15]

Dynion yn heuddu marwolath yn ddiau oedd agos bawb o'r Hugnotied; er hynny, peth annheg ac anghatholig i'r pen oedd eu cosbi-nw yn afreoladd yn amser heddwch, a'u gyrru-nw bendramwnwg i uffern heb roi iddynw amser i ddweud eu pader.

Heblaw hynny, fe ddylsid eu difa-nw yn fwy llwyr o lawer os oeddid yn meddwl eu hatal-nw rhag cenhedlu rhiwiogath o ddynion mwy anffyddol na nhw'u hunen i beri chwyldroad gwaeth fyth yn Ffraingc, canys os na lwyddodd Cromwel i ddileu Catholigath yn y Werddon trwy gigyddio myrddiyna, pa fodd y gallase'r Duc Guise ac erill obeithio dileu Protestaniath yn Ffraingc trwy ladd ychydig o gannodd ar ddydd Sant Bartholomëus a'r dyddia dilynol? Fe gyhoeddwyd, yn wir, ar y cynta, ddarfod lladd can mil ar y dyddia hynny; ond yn fuan fe ddywedwyd mai 70,000 a laddwyd, wedyn mai 30,000, wedyn mai 20,000, wedyn

---

[14] Felly y tystiolaetha Nicholas Froumanteau, yr hwn oedd Brotestaniad.

[15] *Encyclopédie Théologique*, o dan y gair 'Barthélemy'. Lingard's *Hist. of Engl.*, vol. vi, 138. Milner's *Letters to a Prebendary*. Cobbett's *Prot. Ref.*, chap 10.

mai 10,000, ac yn ddiweddaf oll mai 2,000; ond fe ddarfu i un Protestaniad manylach na'r cyffredin ymdrafferthu i chwilio, ac nid i ddyfalu, pa beth oedd y nifer; ac wedi chwilio fo a fethodd â phrofi fod mwy na 786 wedi eu lladd yn holl Ffraingc![16]

Chi a welwch fod yr hen Fetsan wedi'r cwbwl yn rhagorach cigyddes na Chathrin de Medicis, ac fod Olfyr Cromwel yn ymyl Guise fel cawr yn ymyl corrach. O hyn allan, galwer dydd Bartholomëus yn ddydd llwyd ac nid yn 'ddydd du,' canys y mae ei dduach o lawer yng 'Halaniadur y Protestanied.

Trwy ymosod fel ena ar Brotestaniath, ac nid trwy ymfoddloni ar amddiffyn Catholigath, yr atebswn i yr adar dynwaredol a ddysgwyd i weuddi 'Dim Pabyddiath.'

Gyfeillion Catholig, Da y gŵyr y rhai hynaf ohonoch chi na fu Eglwys Rhufain erioed yn hawlio nac awdurdod na gallu i erlid mewn un modd; eithyr gan fod rhai heresïa yn tueddu i ddymchwelyd llywodrath gyfreithlon, heddwch cyhoeddus a moesoldeb naturiol, ni pherthyn i'r Eglwys *rwystro* yr awdurdoda gwladol i ddarostwng yr heresïa hynny trwy gosbedigeutha, pan farner fod achos.

Er engraff, pan y cafwyd Ieuan Huss yn euog o ymgyndynnu mewn heresi, fe gyhoeddodd y cyngor eglwysig oedd yn ei brofi- o mai hawl i gyhoeddi'r ddedfryd yn unig oedd ganddo fo, ac os gwele'r awdurdoda gwladol yn dda gosbi Huss yn ôl deddfa'r wladwriath, fod dyled ar y barnwyr eglwysig a'i barnodd o'n euog, i erfyn am faddeuant iddo.[17] Yr un ffunud, pan benderfynodd Mair farwoleuthu rhai o'r prif Brotestanied, naeth hi mo hynny yn ôl addysg yr *Eglwys* Gatholig, nac yn ôl cyfarwyddiada'r Pab, eithyr wrth anogaeth Gardiner a Bonner; a hynny am resyma gwladwrieuthol.[18]

---

[16] Cobbett's *Prot. Ref.*, Letter X. *Encyc. Théol.*, Tome xxxvi, 334.

[17] Dr. Milner's *End of Religious Controversy*, p. 231.

[18] Milner's *Letters to a Prebendary*, p. 129.

Er nad ydi'r Catholigion yn cydnabod rhyddid cydwybod, y maenw'n cydnabod rhyddid addoliad; ac yr oeddid yn 'hiriogath y Pab ac yn Ffraingc yn caniatáu rhyddid i addoli ers talm hir o amser cyn i un wladwriath Brotestannadd ganiatáu dim rhyddid i Gatholigion.[19]

Am Brotestanied, yr oedden nhw o'r dechreuad yn gwrthwynebu rhyddid crefyddol, ar air ac ar weithred.[20] Fe ddaru i Melanchthon, Calvin, Beza a Bulliger ysgrifennu llyfra i amddiffin erlid; ie, hyd anga.[21] Yr oedd Knox yn pleidio hynny yn ei holl ysgrifeniada.[22] Bucer a gyfrifid y gwareiddiaf o'r holl Ddiwigwyr; ac er hynny fo ddywedodd y byse'n rheitiach i Galvin na llosgi Servetus 'dynnu'w berfedd-o allan, a malu'w gorff-o yn ddarna' yn ôl dull Betsan Goch;[23] ac os oedd Bucer yn llefaru fel hyn, chi a ellwch ddychmygu pa fodd y llefare rhai mwy cegrwth o fath Luther a Knox.

Y mae'n hysbys fod Senedd Lloiger yn barhaus yn annog Iago I i arfer mwy o lymder tuag at y Catholigion; ac fe ddarfu i'r Archescob Abbott ei rybuddio-fo yn erbyn pechu trwy eu godde-nw.[24] Fe ddiorseddwyd Iago II o achos ei fod-o'n awyddus i bob cyfundeb crefyddol gael mwynhau yr un breintia; ac nid oedd un dosbarth yn fwy gwrthwynebol iddo na'r Ymneilltuwyr.[25] Yr oedd yn well gan y rhain ddiodde caethiwed eu hunen na gweld y Catholigion yn mwynhau rhyddid. Fe ddarfu i'w diwinyddion

---

[19] Bellingham's *Soc. Asp.*, pp. 416, 235.

[20] Hallam's *Const. Hist.*, vol. i, p. 130. Bellingham's *Soc. Asp.*, p 251.

[21] *Soc. Asp.*, 142.

[22] Yr un.

[23] *Hist. Abreg. Reform.*, Pays Bas, Tome i, 454.

[24] Rushworth's *Hist. Collect.*, vol. i, p. 144.

[25] Neal's *Hist. of Puritans*, vol. iv, and *Hist. of Churches*, vol. iii.

Presbyteradd oedd wedi ymgynnull yng 'Holeg Sïon benderfynu mai peth cyfeiliornus oedd caniatáu rhyddid cydwybod.[26] Pan ymwthiodd yr Ymneilltuwyr i awdurdod o dan Cromwel, nw a erlidiason hyd anga y Catholigion, ac euloda sect Elsbeth hefyd; ac yn ôl eu rhagrith arferol, nw a benodason ddyddia ymostyngiad ac ympryd i erfyn maddeuant gan Dduw am fod mor oddefgar![27]

Fe fysid yn disgwil y byse'r Ymneillduwyr a groesason Fôr y Werydd, er mwyn rhyddhau rhyddid barn a llafar yn Lloiger Newydd, yn ymddwyn yn dynerach tuag at erill, yn y wlad honno, nag yr ymddygase sect Elsbeth tuag atyn nhw yn yr hen wlad; eithyr fe ddengys y ddeddf hon a gadarnhawyd yn Plymouth yn y flwyddyn 1657 mai erlidwyr creulon ydi'r Protestanied, i ba sect bynnag y perthynonw:

> *'It is further enacted that if any Quaker or Quakers shall presume, after they have once suffered what the law requireth, to come into this jurisdiction, every such male Quaker shall, for the first offence, have one of his ears cut off, and for the second offence have the other ear cut off,' &c. 'Every female Quaker shall be severely whipped, and for the second offence shall have her tongue bored through with a hot iron,' &c.[28]*

Ac felly ymlaen hyd anga.

Talath Gwilim Penn, cyfall 'yr hanner pabydd,' Iago II, a thalath Arglwydd Baltimore, sef Virginia Gatholig, oedd yr unig daleithia lle y cae dyn y pryd hwnnw addoli fel y mynne-fo.

Ond ai erlidiau yn unig ydi ffrwyth y Brotestaniath a gyfododd yn y deg a chweched canri?

---

[26] Bellingham's *Soc. Asp.*, 143.

[27] Lingard's *Hist.*, vol. viii. Hallam's *Const. Hist.*, vol. iii, p. 532. Bellingham's *Soc. Asp.*, p. 147. *End of Controversy*, p. 239.

[28] Bellingham's *Social Aspects*, p. 129.

Nag e, yn ddiau; canys iddi hi y rhaid hefyd briodoli yr
holl chwyldroada, a'r rhan fwyaf o'r rhyfelodd erchyll, a fu yn
Ewrop o hynny hyd yr igienfed canri.[29] Iddi hi yr ydys i ddiolch
am y Ddyled Wladol a fu am gyhyd o amser yn orthrwm ar y
ddwy ynys hyn; ac i'w gwaith hi yn dinistrio'r mynachlogydd,
noddfeydd y rheidusion, ac yn ysbeilio yr Eglwys, gwir fam y
bobol, o'i meddianna, gan eu trosglwyddo-nw o afal y llawer i
ddwylo'r ychydig – y rhaid priodoli Deddfa'r Tlodion, a'r tlodi
mawr a ddioddefodd milodd yn y wlad hon, er gweutha'r deddfa
hynny.[30]

O Brydan, gyhyd y'th dwyllwyd â chlebar dynion trachwantus
ac aflonydd!

Yn awr, pan ymgododd ymhlith y Protestanied hanesyddion
mwy ymchwilgar a diragfarn, a theimlo ohonynw mai cyhoeddi
ffeithia ac nid teunu gwrachïaidd chwedla ydi gweddus waith
hanesyddion; a phan y gwybu'r darllenwyr yr un ffunud mai
crefydd erlidgar, ysbeilgar, a rhyfelgar oedd Protestaniath, hi
aeth yn ebrwydd iawn yn ffiadd yn eu golwg-nw, ac a aeth
yn ffieiddiach fyth ganddynw pan y datguddiwyd iddynw wir
gymeriad cychwynwyr Protestaniath.

'A feiddiwni (ebe nhw) ac a allwni gredu ddarfod i Dduw
godi dynion didoriad o'r fath yma i "ddiwygio" yr eglwys? Tybed
mewn difri mai crefydd Crist ydi'r grefydd a luniwyd mewn
trachwant, ac a esgorwyd arni mewn celwydd, ac a borthwyd
ag ysbal ac â gwaed? A'r hon, heblaw hynny, a ddygodd i'r byd
newyn a noethni, na bu erioed o'r blaen ei gyffelyb; heb sôn am
y gynnen a'r ymryson sy'n peri gofid i'r saint a thramgwydd i
Baganied.'

Cyn yr amser yr ydwi'n cyfeirio ato, yr oedd gwerin bobol
y wlad hon, gan eu bod heb fedru na Lladin na Ffreuneg nac

---

[29] Bellingham's *Soc. Asp.*, p. 151, &c.

[30] Cobbett's *Reformation*, Lett. vi, xvi; a Balmez, *European Civilization*, p. 340.

Ellmynaeg, ac felly yn gorfod dibynnu ar gyfieithiada coginiedig, yn meddwl mai brith angylion, nad oedd y byd hwn yn deilwng ohonynw, oedd y Diwigwyr Protestannadd; ond och! fel y didwyllwyd-nw pan y darfu haf yr hanesyddion a'r cyfieithwyr coginiol.

Ni wydden nhw o'r blaen fod Luther mor chwannog i siarad yn serth ag oedd-o i gablu; ni wydden nhw ddim y bydde-fo'n diota ac yn ymloddesta mewn tafarna gydag Amsdorf ac oferwyr cyffelyb;[31] ni wydden nhw na bu a wnelo-fo ddim â gwragedd, yn ôl ei dystiolath o'i hun, tra y parhaodd-o yn eulod o Eglwys Rhufain; ni wydden nhw ddim iddo gynghori Harri VIII i gymeryd iddo'i hun ail wraig, heb ymdrafferthu i ymysgar oddi wrth Cathrin ei wraig gynta.[32] Ni wydden nhw ddim ddarfod iddo fo a Melanchthon a Bucer gytuno i roi trwydded i Phylip o Hesse, 'colofn y Diwygiad,' i briodi yn ddirgel ail wraig tra yr oedd ei wraig gyfreithlon yn fyw, am y rheswm rhyfedd fod y tywysogyn hwnnw yn tystiolaethu na alle-fo ddim peidio â phechu fel a'r fel heb gael gwraig hawddgarach na'r un oedd ganddo-fo.[33] Ni wydden nhw i Luther ddywedyd rai blynyddodd cyn hynny wrth bregethu yn Wittemberg: 'Os bydd y gwragedd yn gyndyn, y mae'n iawn i'r gwŷr ddywedyd wrthynw: *Si tu nolueris, alter volet; si domina nolit, adveniat ancilla.*'[34] Ni wyddenw ddim iddo sgrifennu rhigwm ar ddalen wen Bibil, yn cynnwys gweddi ar Dduw am ddigonedd o gigfwyd a diodydd meddwol; am liaws o

---

[31] Y mae geiriau Luther ei hun yn ei bregeth ar 'Gamarfer' yn cadarnhau hyn ymhell.

[32] Bossuet, *Histoire des Variations*, Tome i, 230

[33] *Histoire des Variations*, Tome i, 227-235.

[34] T. v. Serm. De Matrim, 123. Fel hyn yn Gymraeg; 'Os na fynnwch chwi, fe fyn rhywun arall; ac os na ddaw y feistres, deled y forwyn.'

wragedd ac ychydig o blant.[35] Ni wydden nhw ddim ddarfod iddo
unwath er mwyn cael ei ffordd ei hun, fygythio wrth ei gyfeillion
y gnae-o ddad-ddywedyd pob peth a lefarse ac a sgrifense-fo yn
flaenorol, ac ymheddychu â'r Pab.[36] Ni wyddenw ddim chwaith
ei fod-o, tra yn taranu yn eon yn erbyn y Pab a'i esgobion, yn
ymgrymu hyd lawr i'r brenhinodd a'r tywysogion penrhydd oedd
yn pleidio'r Diwygiad; a'i fod felly yn debig i ameuthwyr Cymru
gynt, yn wrol dros ben yng'ŵydd gwŷr Eglwysig diamddiffin,
ond yn yswatio fel llygod gerbron gwŷr tiriog.

Nw a glywsen ond odid fod gan Calvin ... , ond ni wyddenw
ddim ei fod ... [37] 'D oeddenw ddim yn ddigon hyddysg yn
ysgrifeniada Erasmus i wybod mai o glefydon rhy ffiadd i'w
henwi y pydrodd ac y bu farw Ulrich von Hutten, 'Marchog y
Diwigiad.'[38]

Yr oedd yn annichon i'r hanesyddion mwya pleidiol i
Brotestaniath guddio oddi wrthynw y prif ffeithia ynghylch
'cydwybod' a chnawd Harri VIII, Pen cyntaf Eglwys Loiger;
ond y mae'n debygol fod yr Esgob Burnet a'i debig wedi'w
hargyhoeddi-nw fod yn annichon i Dduw ddwyn i ben ei
amcanion grasol tuag at Brydan heb ddonio rhiw hen Harri neu
gilidd â gwangc anniwall am arian, am wragedd, ac am waed.

Rhaid eu bod-nw'n gwybod mesur o'r gwir am Cranmer, ei
weinidog-o, yr hwn oedd wedi ymwerthu i neuthur ewyllysia'i

---

[35] *Encyclopédie Théologique*, o dan y gair 'Luther.' Fe sgrifennodd Luther rigwm aflanach
o lawer na'r un y cyfeiria'r darlithiwr ato, sef yr un sy'n diweddu fel hyn:

> In der Woche zwier
> Macht des Jahren hundert vier;
> Das schadet weder dir noch mir.

[36] *Hist. des Variations*, Tome i, 59, &c.

[37] Gweler y sylw 'Gwarchod fi!' (t. 24) a'r nodyn.

[38] Drummond's *Life of Erasmus*, pp. 113, 147.

feistyr – a rhai o'i ewyllysia'i hun hefyd;[39] canys yr oeddo'n cadw dwy feistres ar yr un pryd; eithyr y mae eu bod-nw yn ei alw-fo'n *venerable Cranmer* yn dangos nad oeddenw ddim yn gwybod mai y fo oedd yr adyn mwya diegwyddor a hyrddiwyd erioed trwy un tân i dân poethach.

Chwara teg i Brotestanied: 'd ydwi ddim yn meddwl y bu neb erioed ohonynw y tu allan i'r Alban, a Nerpwl, Belfast, a gwallgofdai Cymru, yn amddiffyn yr hwn a eilw Dr. Johnson yn *Ruffian of the Reformation*, sef y darn-lofrudd Knox.[40] Ie, yn yr Alban ei hun, fe brysurwyd i ddwyn i mewn drachefn lawer o'r petha y gweuddase Siôn Knox a Siani Geddes mor groch yn eu herbyn.

Nid oes amser i sôn am Zuinglius, a Beza, ac Osiander, a Charlostadt, a Thomas Cromwel, a'r Gwarchodwr Somerset, a'r 'diwigwyr' erill. Oddieithyr Œcolompadius, ac efalle un ne ddau erill, dynion diras oedd y diwigwyr.[41]

Rhag ichi feddwl fy mod yn seilio fyng 'hyhuddiadau ar dystioleutha Catholigion, gwrandewch pa beth y maen nhw'u hunen yn ei ddywedyd am ei gilydd. Er fod Melanchthon bob amser yn ceisio esgusodi Luther hyd y galle-fo; eto, fel hyn y mae-o'n ysgrifennu at Calvin:

'Yr ydwi'n cael fy hunan yng'hanol cacwn ffyrnig, ac yn y nef yn unig yr ydwi'n disgwil cael didwylledd.'

---

[39] *Encyc. Théol.*, Tome xxxvi, o dan y gair 'Cranmer.'

[40] Bellingham's *Soc. Asp.*, 145.

[41] 'Perhaps the world has never in any age seen a nest of such atrocious miscreants as Luther, Zuinglius, Calvin, Beza, and the rest of the distinguished reformers of the Catholic religion; every one of them was notorious for the most scandalous vices, according to the full confession of his own followers,' ebe'r Protestaniad Cobbett yn *Hist. Ref.*, Letter vii.

Ac fel hyn at Camerarius:

'Dynion anwybodus, na wyddanw ddim oll am dduwioldeb
na disgyblath, sy'n llywodreuthu yr eglwysi Protestannadd;
demagogied yn gwenieithio i'r bobol, fel areithwyr gwlad
Groeg. Dyma'r rhai sy'n arglwyddieuthu; ac yr ydw inna fel
Deiniol yn ffau y llewod ...Y mae'r eglwysi wedi mynd i'r
cyfryw gyflwr fel y maenw yn nythle pob drygioni.'

Ebe Luther wrth Zuinglius:

'Rhaid eich bod chi ne fyfi yn weinidog Satan.'

Ac yn ei Gyffes Ffydd, fo eilw Zuinglius ac Œcolompadius a'u
cyfeillion Swisig yn 'ffylied, yn gablyddion, yn greaduried diddim,
yn felltigedigion na ddylid ddim gweddïo drostynw.'

Atebson nhwtha mai y fo oedd y 'Pab newydd a'r Angrist,
ac y dylse fod yn gwilyddus ganddo-fo lenwi ei lyfr â chynifer o
enllibiau a chythreulied.'

Fel hyn y sgrifennodd Calvin at ei gyfaill Bullinger am
Luther:

'Y mae'n annichon diodde cynddeiriogrwydd Luther, yr hwn
y mae ei hunanoldeb yn ei rwystro rhag canfod ei ddiffygion
ei hun, a rhag goddef ei wrthddywedyd gan erill.'

Ebe Luther unwaith:

'Mi a lynaf wrth yr offeren o fig i Carlostadt, rhag i'r diawl
feddwl ei fod-o wedi dysgu rhiwbeth inni.'

Dyma dystiolath Calvin am Osiander:

'Bwystfil gwyllt na ellir mo'i ddofi; y mae'n ffiadd genni'w
anghrefyddolder a'i anfad weithredoedd-o.'

Fel hyn y mae Calvin yn cyfarch y pennaf o Lutheried Westphalia:

'A wyti yn fy nyall–i, gi? a wyti yn fy nyall yn iawn, ynfytyn? a wyti yn fy nyall yn iawn, y bwystfil boliog?'

Y mae Bucer mewn llythyr at Calvin yn cyfadde 'na wŷr *y rhai mwyaf efengyladd* o'r Protestanied ddim pa beth ydi gwir edifeirwch.' Ac mewn llythyr diweddarach, y mae-o'n dywedyd: 'Yn ddiau, y mae Duw wedi talu inni yn chwerw am y sarhad a ddygasoni ar ei enw trwy ein rhagrith hir a niweidiol.' Ac mewn llythyr arall fe ddywed 'i'n pobol ni ymwrthod â gormes ac ofergoeledd y Pab, yn unig er mwyn cael byw yn ôl eu hewyllys eu hunen.'

Yr un ffunud y mae Capiton, cydweinidog Bucer, yn ysgrifennu at Farel:

'Y mae pob peth yn ymddiriwio. Nid oes gynnoni ddim un eglwys, nac oes, ddim cimin ag un â dim disgyblath ynddi. Y mae Duw yn peri inni weled y cam a neuthoni â'i eglwys trwy ein penderfyniad byrbwyll, a thrwy ein hanystyriath yn ymwrthod â'r Pab, canys y mae y bobol yn mynnu rhedeg yn benrydd heb un ffrwyn.'[42]

Y mae'n amlwg fod y rhai pennaf oll o'r Diwigwyr yn hanner edifarhau ar amsera am wadu ohonynw awdurdod yr Eglwys Gyffredinol; canys fel hyn y sgrifennodd Luther unwaith at Zuinglius:

'Os pery'r byd yn hir, fe fydd yn rhaid eto, o achos y gwahanol ystyron yr ydys yn eu rhoi i air Duw, dderbyn penderfyniada'r Cynghorau Eglwysig, a sefyll arnyn nhw er mwyn cadw undeb ffydd.'

---

[42] Bossuet, *Histoire des Variations*, Tome i, 193, 199, 240, 420, 421, 422. Balmez, *European Civilization*, p. 411.

Ac ebe Melanchthon, ei gludydd arfa:

'Fe fydde unbennath y Pab yn fanteisiol iawn i gadw ymysg cynifer o genhedlodd unffurfiath mewn athrawiath.'[43]

Ac medd Calvin hefyd yn ei *Inst.* 6, 11:

'Fe osododd Duw eisteddfa'i addoliad yng'hanol y ddeuar, ac a osododd yno un Goruchaf Esgob, a dim ond un, yr hwn y gnae pawb yn dda edrych ato, er mwyn gallu yn well gadw undeb.'

Pa ryfedd i'r Cymry, a chenhedlodd erill, ar ôl gwybod y petha hyn oll, droi i felltithio dynion oedd yn melltithio'i gilydd, ac yn methu â chytuno i neud dim heblaw drygu eglwys eu tada? Pa ryfedd iddynw, ar ôl dyall trwy ysgrifeniada'r 'Diwigwyr' eu hunen, mor aflywodreuthus oedd yr eglwysi Protestannadd, droi i alw'r 'Diwigiad gogoneddus' yn Chwyldroad gwaradwyddus? Ie, pa ryfedd, meddaf inna, ddarfod i ddrwgfuchedd y Protestanied cyntaf atal Protestaniath yn ddisymwth rhag ymdeunu tros ganolbarth a deheubarth Ewrop, ac i ymarweddiad santadd gwŷr o fath François de Sales, Esgob Geneva, fod yn foddion i ddwyn milodd yn ôl i'r Eglwys y gwrthgiliasenw ohoni?

Luther, Calvin, Knox, Cranmer – dyma dy dduwia-di gynt, O Gymru!

Ai am dy fod yn caru yr estronol yn well na'r brodorol, y neilltuol yn well na'r cyffredinol, y newydd yn well na'r hen, y cefnisti ar grefydd dy dada? Ai am fod Harri VIII yn frenin y Seuson, ai ynte am ei fod-o'n hannu o Duduried Môn, y derbynisti o'n bab yn lle Clement VIII?

Pe cenedlgarwch a'th hudase o'r iawn, fe fyse'n haws gen i fadda iti; ond nid hynny, ysywath, a ddarfu dy hudo; canys yr oedd Mair hefyd yn ferch i'w thad, a hynny o'r wraig orau a fu

---

[43] Balmez, *European Civilization*, p. 411.

ganddo; ac heblaw hynny, hi a fu yn drugarocach wrth ein cenedl ni nag y bu ei chwaer Elsbeth. Er hyn oll, ti gytunaist â'r Seuson o'r dechreuad i alw Mair yn Fari Weudlyd!

Y gwir ydi mai am dy fod ar y cyntaf yn ofni'r genedl Seisnig yn fwy na Duw, a'th fod yn ddiweddarach yn ei charu-hi yn fwy na thi dy hun, yr euthosti'n Brotestannadd. Yr oedd gennyt esgus hefyd, a dyma fo: yr oedd dy ddarostyngwyr yn dy gadw mewn anwybodath ddygyn; a chan na alleti o achos yr anwybodath honno ddim magu hanesyddion dy hun, pa beth a naeti, druan, amgen na darllen a choelio yr hyn a goeddesid gan hanesyddion y genedl nesaf atati?

Fe fydde'r Seuson yn beio arnat yn finiog am gredu'r chwedla plentynnadd ynghylch Brut ac Arthur a Charadog ac Emrys; eithyr gormod o beth a fyse disgwil iddynw chwerthin am dy ben am gredu eu chwedla plentyneiddiach nhw'u hunen ynghylch Joan, y pab beniw; marwolath 'arswydus' Esgob Gardiner; llawenydd a diolch y Pab Gregor am gyflafan gŵyl Bartholomëus; Brad y Pabyddion; maddeuant pryn, addoli'r Forwyn Fair, addoli delwau a chreiria, llygredigath y cyffesfeydd a'r mynachlogydd, &c.

Ti a fuost yn wir yn goelgar dros ben, eithyr ti a olchist ymaith dy fai, ac a ddoist allan yn 'Gymru lân'; canys pan y cefisti'r gwirionedd ti a gredist iddo yn ebrwydd.

O ran hynny, nid Catholigath a Chatholigion a ddarfu i ti eu casáu, ond gwatwar-luniau ohonynw. Nid Protestaniath a Phrotestanied a ddarfu iti eu hoffi, ond creadigeutha dychymyg y rhai oedd yn ennill eu tamad wrth eu moli-nw.

Pa fachgennyn sydd, ie, yn yr oes ola hon, nas temtid i feddwl, ar ôl darllen llyfr celwyddog Foxe, fod ei 'ferthyri' yn 'ardderchog lu!'

O! ddisgleiried yr ymddengys y Diwigwyr Protestannadd a'r Puritanied, ar ôl eu gwyngalchu gan ysgrifenwyr lliwgar fel D'Aubingné a Macaulay.[44] Eithyr tân beirniadath a brawf waith

---

[44] Y mae Macaulay, er yn gorfoli'r Puritaniaid, yn sôn yn bur barchus am y Catholigion

pawb, pa fath ydi-o. Fe ddangosodd hanesyddiath onestach yr oesodd diwedda hyn na fu erioed ddynion mor anghyson, nac efalle, ddynion mor anhawddgar a didoriad chwaith, â'r rhai y dysgwyd Cymry yr oesodd tywyll i'w cyfri'n Enwogion y Ffydd. Y mae y corrach yn ymddangos yn gawr yn y niwl; ac nid hawdd gweled anaf ac aflendid ar ddyn pell.

Ond erbyn hyn y mae'r haul wedi codi, a'r niwl wedi cilio, a'r pell wedi ei ddwyn yn agos. Er hynny, nid mewn un dydd nac mewn blwyddyn y gorfu'r gwawl ar y gwyll. A phan y doeth y gwirionedd i'w le, yr oedd peth hirath yn ymgymysgu â llawenydd y rhai a fu am gyhyd o amser yn credu celwydd. 'Chi a ddymchwelsoch fy nuwia' oedd dolef llawer un. A peth digon naturiol oedd i'r rhai gwannaf o'n cyndada Protestannadd deimlo'n siomedig, a synnu yn aruthrol wrth bob eilun syrthiedig, gan ddywedyd:

> 'Ai dyma'r gŵr a naeth i'r ddeuar grynu, ac a gynhyrfodd deyrnasodd? A wanhawyd titha fel ninna, Luther? A euthost ti, Calvin, yn gyffelyb i ni?'

Cyn symud i draethu yn frysiog ar achosion *neilltuol* cwymp Protestaniath yng 'Hymru, goddefer imi grybwyll am un achos arall, sy'n hytrach yn gyffredinol nag yn neilltuol, sef ymdeuniad ac ymddatblygiad Iachyddiath (*Salvationism*).

Seisyn a'i gyfenw yn Bwth ne *Booth* oedd awdur yr iachawdwriath a elwid yn iachyddiath; ac fe elwid ei ddilynwyr-o yn Fyddin Iach; a hynny, y mae'n debygol, am eu bod-nw'n teimlo ac yn siarad mor iach.

Math o gymdeithas ddirwestol oedd y Fyddin ar y cynta; er hynny, yr oedd-hi o'r dechreuad yn dablo mewn 'achub' hefyd.

---

mewn llawer man, yn enwedig yn y dernyn huawdl sy'n diweddu fel hyn: 'She [i.e. the Catholic Church'] may still exist in undiminished vigour when some traveller from New Zealand shall, in the midst of a vast solitude, take his stand on a broken arch of London Bridge to sketch the ruins of St. Paul's.' – *Essays*.

Ond, ysywath, yr oedd yr achub hwnnw yn gynwysedig mewn troi publicanod yn Phariseied, a phechaduried swil yn weddïwyr digwilidd.

Pa bryd bynnag y gwelid fod chwifio cadacha, curo dwylo a thabyrdda, a gweuddi hoew-gan a gweddi, yn cyffroi gïa'r gwrandawyr, fe gyhouddid eu bod-nw wedi'w cwbwl iacháu. Ond er iached y teimlenw drannoth ar ôl eu troi, yr oeddenw'n credu fod lle iddynw gynyddu mewn hyfder, os nad mewn gras; am hynny, nw a frysien i fwrw ymath bob gwyleidd-dra trwy ymosod i ddysgu pobol erill cyn ymdrafferthu i ddysgu dim eu hunen. Y cyfle hwn, a roid i holl euloda'r Fyddin i borthi hunanoldeb ac i ennill cyhoeddusrwydd yn ddidrafferth, oedd yr achos penna paham y llwyddodd y blaid mor gyflym.

Er hynny, bychan a fu ei llwyddiant-hi mewn gwledydd gwareiddiedig wrth ei llwyddiant yn Lloiger. Ono yr ymgododd-hi, a gwedd Seisnigadd oedd iddi; a chan fod gwerin bobol y wlad honno yn ymhoffi yn ddirfawr mewn bocsach ac ymladd, ac mewn pob math o chwara garw, yr oedd-hi'n gweddu iddyn nhw yn fwy nag i un genedl arall. Y mae'n wir y medrodd hitha, trwy drafferth, gynhyrfu dynion i'w herlid ar y cynta; ond yr oedd-hi'n porthi nwyda Seisnig yn rhy dda i gael ei herlid yn hir; felly, pan aeth-hi'n fawr, fe droes y rhan fwyaf o'i melltithwyr i'w bendithio; canys y mae'n hysbys ichi fod y Seuson erioed yn mawrygu llwyddiant, pa un bynnag a fyddo-fo ai llwyddiant teg ai amgen.

Heblaw hynny, yr oedd y Cad-lywydd Wolseley, a gwŷr rhyfelgar erill, wrth weled fod yn anos cael dynion i ymuno â byddin a llynges Lloiger nag a fyse cyn hynny, yn teimlo na allen nhw neud dim yn well na chefnogi plaid o grefyddwyr oedd yn llafurio mor effeithiol i gadw'n fyw yr ysbryd milwrol yn y wlad, ac i ddisgyblu rhiwfaint ar yr euloda. Hefyd, yr oedd bleunoried ambell gyfundeb yn mynd o'u ffordd i gamol y Fyddin, gan obeithio trwy hynny ei hudo-hi yn y man i'w corlan eu hun. Y mae'n ddiogel imi gyfaddef yn awr mai er mwyn ei amcanion ei hun ac nid o gariad at y Fyddin yr oedd y Prif-archesgob Manning yn ei chefnogi-hi; er y gallase fo ddadla yn ddiragrith ei fod-o'n rhwymedig i'w chefnogi cyn gynted ag y derbyniodd-hi y Cynllun Cymrodol a ddarparse fo'i hun.

Dyma beth arall a naeth y Fyddin yn gymeradwy gan lawer, sef, fod lliaws o'i swyddogion-hi yn feniwod. Pan y bydde'r rhain yn ifingc, yn ddibriod, ac yn deg yr olwg, fe fydde'r euloda a'r gwrandawyr yn lliosog; ond pan y doe gwragedd priod ne hen ferched hagar yn eu lle-nw, fe fydde llawerodd yn cilio ymath. Ie, hyd yn oed yn y lleodd y bydde rhianod yn wastadol, fe aed i flino arnynw yn pipian yr un chwedel o hyd. Er fod peth newydd yn taro unwath, eto y naturiol sy'n taro nes torri'r garreg. Y mae merched yn siarad yn naturiolach ac yn edrych yn hawddgarach ym'hobman nag mewn pulpud neu ar fanllor cysegredig; a rhyfygus o beth ydi i neb ddisgwil i Dduw fendithio brygawthan merchetos ag y gorchmynnodd-o yn eglur iddynw gau eu cega.

Yr oedd y trosedd hwn yn erbyn gorchymyn a greddf nid yn unig yn ddi-fudd i erill, ond hefyd yn niweidiol iawn i'r beniwod eu hunen. Nid ychydig o niwed a neid iddynw, i ddechra, trwy hyn: sef, eu bod yn gorfod teimlo mai i edrych arnynw ac nid i wrando arnynw y deuthe llawer i'w cyfarfod. A'r hyn oedd waeth na'r cwbwl, yr oeddenw'n colli prif harddwch merch, sef gwyleidd-dra. Yn wir, yr oedd Bwth wedi dysgu i'w swyddogion beniw anghofio mai beniwod oeddenw, ac i alw y naill y llall yn *fo* ac nid yn *hi*. Er mwyn dangos dylanwad mawr y meddwl ar y corff, fe dystioleutha meddygon fod barf drwchus wedi tyfu ar wyneb amriw o'r captenied beniw, ac i hwnnw foeli drachefn, yn raddol, o'r adeg y dechreusonw gofio o ba ystlen yr oeddenw.

Y mae'n deg imi ddweud mai mewn anwybod yr oedd llawer o'r merched yn troseddu'r gorchymyn Ysgrythyrol, am nad oeddenw ddim wedi darllen yr Epistolau at y Corinthied ac at Timotheus, ac am nad oeddenw ddim yn alluog i'w dyall-nw, pe bysenw wedi'w darllen-nw. Yr oedd erill yn dyall rhai rhanna yn eitha da, ond yn ymyfhau i deuru na ddanfonwyd mo Apostol

y Cenhedlodd i ddeddfu i ferched mwy nag i fedyddio, ac am
hynny nad oedd ei gynghorion-o ddim yn gyfaddas i wragedd
a gwyryfon, yn enwedig y rhai a anwyd ar ôl y Chwyldroad
Ffrengig. Yr oedd erill, gan ofni rhedeg yn y gwddw i apostol,
yn ymfoddloni ar gyfeirio at dystiolath yr esbonwyr caredig oedd
yn dadla fod 'Tawed' yn y Roeg yn gyfystyr â *Llefared*; ac fod yr
ymadrodd 'Nid wyf yn cenhadu i wraig athrawieuthu' yn sefyll
fel hyn cyn i'r hen langc Origen ei gyfnewid: 'Nid rhaid i mi
genhadu i wraig athrawieuthu.'

Yr oedd y math o lenoriath a elwir dysgeidiath gain wedi mynd
yn isel yn nyddia Bwth, a'r bobol ysgrifengar, bron i gid, wedi troi
i sbonio a mân-feirniadu; a chan na byse sboniad synhwyrol ddim
yn ddigon diddorol i fod yn werthadwy, fe fydde'r esboniwr olaf
ar y maes yn ceisio bod yn saith gwirionach na phob esboniwr a
fu o'i flaen. Pa ffolineb neu anfoes bynnag a fydde mewn bri ar y
pryd, fe fydde rhiw esboniwr Protestannadd neu gilidd yn barod i
ystumio Sgrythur yn union er mwyn ei amddiffyn-o.

Er engraff, pan ofynnwyd i bregethwr oedd yn chwennych
ennill pleidebau ac ewyllys da y gwragedd gwrywadd, paham,
tybed, na ddewisasid rhiw wraig yn archoffeiriad ne'n apostol,
fo atebodd, heb un dyferyn o afiath ar ei wefus nac yn ei lygad,
mai merch yn ddiau ydoedd y pennaf o'r apostolion, pe amgen y
galwesid ef yn Apostol Pedwar ac nid yn Apostol Peder!

Fel dywedesi, blino cyn hir a naeth pobol ar weinidogath
angylion beniw, a blino a naeth yr angylion eu hunen; canys
pan welodd y rhai priodadwy yn eu plith fod y meibion yn
barotach i'w camol-nw nag i'w caru â chariad tragwyddol, nw a
ddechreuson warchod gartre, tan obath cael eu gweled yn well yn
y dirgel nag yn yr amlwg. Ac yn wir, fe a ddigwyddodd iddynw
yn ôl y ddihareb, yr hon sy'n dwedyd fod yn haws i ddyn gael
hyd i wraig gymwys wrth ola cannwyll frwyn nag wrth ola nwy
neu drydan.

Ond os beio yr ydwi ar y Fyddin Iach, paham, meddwch,
y galle-hi fod yn niweidiol i Brotestaniath ac yn fanteisiol i

Gatholigath?

Fel hyn: hi a wanhaodd yr hen gyfundeba Protestannadd trwy ddwyn oddi arnynw y werinos – a chofier fod y rheini yn epilio cystal â phobol gallach; hi a ddysgodd ei heuloda i ufuddhau i'w peneuthied yn lle gweithredu yn ôl eu mympwy a'u barn briod, ac a'u dygymododd-nw ag unbennath eglwysig; canys yr oedd Bwth, a'i fab, a'i fab ynta, bob un yn fwy o unben na'r Pab o Rufan, ac nag un ymerawdwr a fu'n teyrnasu yn yr oesoedd diwedda; ie, hi a ddygymododd yr euloda â'r enw Pab; canys er mai 'Tad' y Fyddin y galwe Bwth I ei hun, eto pan aeth y plant yn ddigon dysgedig i wybod mai *tad* ydi meddwl y gair Lladinaidd *pab* ne *papa*, nw a droison i alw Bwth II yn gyntaf oll yn *bapa*, ac wedyn yn *bab*; ac o barch i'w briod-o (ac efalle o fig i Fair y Forwyn), nw a'i galwason hitha yn *famma*, ac yna yn *babes*, yn lle yn 'fam' fel cynt.

Pan aeth y plant hyn yn dipin o wŷr mewn dyddiau ac mewn dyall, nw a ddechreuson flino 'chwara sowldiwrs' i ogoniant 'capten mawr eu hiachawdwriath,' ac a feddyliason y bydde'n llai cywilyddus iddynw gymeryd eu llywodreuthu gan bab a etholsid, oblegid rhagoroldeb ei ddawn a'i ddysg a'i dduwioldeb, gan hynafgwyr parchedicaf yr Eglwys, nag ymostwng i bob rhiw gyntafanedig gwael a gweddol o dylwyth Bwth. Er buddioled ydi unbennath etifeddol mewn gwladwriath, nw a farnason fod unbennath etholedig yn fuddiolach yn yr eglwys.

Dyma beth arall ag oedd yn dwyn y Fyddin Iach, er cynifer a chimin ei beia, yn nes nag un blaid Brotestannadd arall at y Fam-Eglwys, sef, mai rheola'n hen gymdeithasa cenhadol ni yn gymysgedig â nifer o reolau a gymerwyd o Lawlyfr Milwrol y Cadlywydd Wolseley, oedd Rheola Disgybleuthol y Fyddin.

Mewn un peth, yr oedd y Fyddin Iach yn fwy Protestannadd nag odid un blaid arall o'r hereticied: 'd oedd ganddi ddim offeiried nac un math o weinidogion urddedig. Ond nid oedd hynny yn ei gneud-hi'n fwy anhawddgar gan y Catholigion. Gan nad oedd iddi offeiried, 'd oedd-hi ddim yn honni bod yn eglwys; a chan nad oedd-hi ddim yn eglwys, 'd oedd-hi ddim yn rhyfygu gweinyddu'r sacramenta. Yr ydan ni, y Catholigion, yn gallu mawrygu cysondeb hyd yn oed mewn Protestanied; a pha Brotestanied mor gyson â'r rhai sy'n diystyru urddau, ie, ac urddas hefyd?

Erbyn hyn, y mae'n wir fod yr holl Brotestanied sydd ar wasgar yn gyson â nhw'u hunen yn y peth yma; canys pan ddechreuwyd dysgu rhesymeg yn yr ysgolion beunyddiol, nw a ganfuon mai gwrthun o beth oedd iddyn nhw gredu mewn offeiried, mewn ordeinio, mewn cysegru ac mewn eglwys. Trwy synnwyr naturiol, y mae'n ddiau, ac nid trwy ddysgeidiath, y dyallodd Bwth I mai offeiriadath ffugiol oedd offeiriadath Brotestannadd, ac nad oedd pob 'eglwys' Brotestannadd yn ddim amgen na byddin filwrieuthus. Oni byse fod Bwth mor chwannog i neuthur ei elusen, ei weddi a'i ympryd, yng'ŵydd dynion, mi a ddywedaswn mai o ledneisrwydd y peidiodd-o â chyfeiliorni yn ffordd Cora, a'r Calvinied, a'r Lutheried, a'r Cranmeried, a'r Methodistied. Er y byse gneuthur 'eglwys' newydd, ac ordeinio offeiried, yn rhwystro i'w fyddin-o gynyddu; eto, y mae'n ddiama y byse hynny yn peri iddi fyw yn hwy, ac yn ei chadarnhau fel sect.

Y mae hanes y Methodistied, yn arbennig, yn egluro hyn; canys cyn gynted ag yr ymffurfiasonw yn gyfundeb gwahanedig er mwyn boddloni trachwant y cynghorwyr diurddau am goeddusrwydd a chadach gwyn, fe arafodd eu cynnydd ac fe leihaodd eu dylanwad yn ddirfawr; er hynny, fe fu'r hyn a'u hataliodd-nw rhag tyfu yn gymorth iddynw i fyw, yn ystyr isa'r gair; canys wedi iddynw godi capelau a cholegau a thrysorfeydd, yr oedd yn anodd gan y rhai oedd yn cael budd oddi wrth y pethau hyn ail-ymuno ag Eglwys Loiger heb fynnu sicrwydd y caffenw wrth hynny fwy nag a adawenw. Er fod Eglwys Loiger, erbyn dechra'r ugeinfed canri, wedi mynd yn dra thebig i Eglwys Rufan, a'r Methodistied, a'r Ymneilltuwyr erill, wedi mynd yn debig i Eglwys Loiger, eto, o achos rhwystrau ariannol a hunanol, fe aeth llawer blwyddyn heibio cyn i'r afradlonied hyn ymostwng yn ddiamodol i'r hen Fam-Eglwys.

Ond nid ordeiniodd Bwth offeiried yn ôl urdd Melchisedec nac Aron. Nid adeiladodd y Fyddin Iach ddinas iddi ei hun, eithyr trigo a naeth-hi mewn lluestai; ac yr oedd ei bod-hi'n fyddin faes, ac mor symudol, yn ei gneud-hi ar unwath yn fwy gorchfygol ac yn fwy gorchfygadwy hefyd. Yr oedd ei grym hi yn ei gwendida, a'i gwendid yn ei grym. 'D oedd y swyddogion yn colli nemor wrth ei gadael-hi; a chan fod yr holl drysora yn nwylo epil Bwth, yr oedd ymchwaliad y Fyddin yn hytrach yn elw nag yn golled i'r rhain.

Y mae'n ddiama y byse'r Fyddin wedi darfod yn gynt nag y gnaeth-hi, oni byse i Bwth I yn ddoeth iawn ei throi-hi cyn hir yn Gymdeithas Gymhorthol, trwy sefydlu noddfeydd a gweithfeydd a threfedigeutha ar gyfer pobol reidus a di-waith, yn ôl cynllun a gyhoeddesid cyn hynny gan y Prif-archesgob Manning. Er hynny, y mae clod am gyflawni'r cynllun hwnnw a'i ddwyn i ben yn perthyn yn bennaf i Bwth ei hun, yr hwn, er nad oedd-o na diwinydd nac athronydd na llenor, oedd yn un o'r trefniedyddion goraf yn Lloiger.

Mi a ddylwn ddweud fod y Prif-archesgob Manning a'r Penllywydd Bwth yn gryn gyfeillion; ac os nad oedd y ddau yn dyall ei gilidd, y mae'n amlwg erbyn hyn fod un o'r ddau yn dyall y llall, a'i fod yn gneud offeryn ohono i hyrwyddo Catholigath. Gan fod rhagfarn y rhan fwyaf o'r Protestanied yn erbyn Catholigath heb ddarfod, ni allase'r Prif-archesgob roi ei gynllun ar waith y pryd hwnnw heb ddirymu ei amcan ei hun a datguddio'i fwriad i adsefydlu, mewn ffordd gwmpasog, fynachlogydd yn y tir. Felly ymfoddloni a naeth-o ar gefnogi Booth i godi mynachlogydd wrth enw arall mwy Protestannadd, a thrwy arian Protestannadd, am ei fod-o'n gweled eu bod-nw'n ogyffelyb eu natur i'r hen fynachlogydd Catholig, ac fod iddynw yr un amcan; ac am ei fod-o hefyd yn *rhag*-weled y doe yr adeiladau a'r tirodd, os nad yr arian, i gid yn y man i feddiant y Catholigion.

A hynny a fu; canys yn y bedwaredd flwyddyn o deyrnasiad ysbrydol Bwth III fe ymostyngodd y fintai olaf o'r Fyddin Iach i'r Pab o Rufan; ac wedi marw o'r Bwth hwnnw, trwy yfed diodydd dirwestol rhy gryfion, fe roes ei blant-o eu hunen a'u harian i'r Eglwys Gatholig.

Y mae hi'n bryd imi bellach enwi achosion neilltuol cwymp Protestaniath yng 'Hymru. Eu henwi, meddaf, am y palle'r amser imi dreuthu nemor ar chwaneg na dau ne dri ohonynw.

Dyma'r achos penna, yn ddiama: sef diystyrwch Protestanied Cymru o iaith eu tada. Wrth beidio â bod yn ieithgar, yr oeddenw o anghenraid yn peidio â bod yn wlatgar, ac yn peidio â bod yn genedlgarol; canys y Gymraeg oedd yn gneud y rhan hon o Ynys Prydan yn Gymru, a'r Gymraeg oedd yr un ffunud yn gneud ei phobol-hi yn Gymry. Pe na neuthe'r Cymry ymdrech benderfynol i gadw ac i adfywio'r hen iaith, ni fyse *Wales* yn ddim amgen nag enw deuaryddol, megis *Cumberland*, ar randir Seisnig. Fe hawliodd y Gwyddelod y Werddon am ei bod-hi'n ynys; ond fe hawliason ni Gymru, nid am fod rhyngoni a Lloiger nac afon na mynydd, nac am ein bod yn wahanol ein llun na'n lliw, ein crefydd na'n harferion, i'r Seuson, eithyr yn unig am ein bod yn wahanol ein hiaith iddynw.

Ein hiaith sy'n ein gneud ni yn 'bobol briodol': hynny ydi, yn genedl. Y mae'n wir ein bod-ni yn wahanol i'r Seuson mewn rhai petha erill; ond y mae'r holl fân wahanieutha yn dyfod o'r gwahaniath mawr sy rhyngoni a nw mewn iaith. O'r hyn lleia, y gwahaniath ieithol sy'n ein cadw-ni yn wahanol mewn petha erill; a phe peidiase'r gwahaniath hwnnw fe a ddarfyse pob gwahaniath arall cyn pen tair cenhedlath. Yr oedd rhai o

DDIC-SIÔN-DAFYDDION CYFNOD
YR ACHOSION SEISNIGEIDDIOL

yn addef y peidie'r Cymry â bod yn genedl pan y peidied â siarad Cymraeg; ac yr oeddenw yn ddigon llygredig i deuru yn

ddigwilidd mai bendith ac nid melltith a fydde hynny. Y mae'n
dda i'r giwed hynny nad oeddenw ddim yn byw yng 'Hymru yn
amser y Chwyldroad; onid e, marw o farwolath bradwyr a fyse'u
rhan-nw.

Ond paham yr ymofidiwni oblegid na welsoni mo'u
dienyddio-nw, a ninnau'n gwybod y cosbir yn dost yn y byd arall
bob bradwr ag yr esgeuluswyd ei gosbi yn y byd hwn? Y mae
gwadu priodiaith yn bechod mwy *annaturiol* na gwadu Crist. Y
mae yn rhyfedd yn ein golwg ni fod neb erioed wedi teuru nad
oes purdan ac uffern yn y byd arall; canys y mae rheswm ei hun yn
dwedyd y rhaid fod tân wedi ei gynna yn rhiwle ar gyfer bradwyr
anedifeiriol. Os bydd Achoswyr Seisnigath yn gadwedig, trwy
dân poeth iawn y byddanw yn gadwedig.

Yr oedd gan y Cymry ag oedd yn byw yn oesodd y caethiwed
cenhedlig riw esgus am fod yn anwlatgar; am fod Cymru, y pryd
hwnnw yn enwedig, yn wlad rhy fechan i bawb ei charu trwy
aros ynddi; ac yr oedd ganddynw yr un ffunud riw esgus am fod
yn anghenedlgarol; canys yr oedd y Cymry, er pan y gwthiodd
y babes Elsbeth ei Phrotestaniath arnynw, wedi mynd yn 'genedl
anhawddgar', ond nid oedd ganddynw ddim esgus am fod yn
anieithgar; canys yr oedd ganddynw un o'r ieithoedd cywreiniaf
ac ystwythaf ar wyneb y ddeuar, pe bysenw yn ymdrafferthu i'w
dysgu-hi; ac er gorfod i lawer ohonynw gefnu ar eu gwlad, 'd
oedd raid i neb ohonynw gefnu ar ei iaith; canys y mae iaith yn
fwy cludadwy na thir, ie, nag arian hefyd. Yn wir, y Gymraeg
oedd yr unig berl gwerthfor oedd gan y Cymry rhwng yr adeg yr
ymwrthodasonw â'r grefydd Gatholig a'r adeg y derbyniasonw-hi
drachefen.

Y mae yn deg imi adde na fu'r Catholigion eu hunen ddim
mor gefnogol i iaith y Cymry ag y dylsenw fod, ar ôl dechra o'r
Seuson ymyrryd â materion y Dywysogath; ac y mae yn ddiama
i hynny lac-hau gafal y Cymry yn eu hen grefydd dalm o amser
cyn y Chwyldroad Protestannadd; ond ar y Seuson Catholig ac
nid ar yr Eglwys Gatholig yr oedd mwyaf o fai; canys y nhw,

er mwyn amcanion gwleidyddion, oedd yn gwthio cynifer o estronied i fywioleutha Cymreig. Yr oedd bai nid bychan ar y Llys Rhufeinig hefyd; canys pan y sefydlwyd dwy archesgobath y naill yn Neheubarth a'r llall yng 'Ogleddbarth Lloiger, fe ddylsid ar yr un pryd sefydlu archesgobath arall yng 'Hymru. Fe fyse hynny yn fanteisiol i annibyniath Cymru, nid yn unig yn grefyddol, ond hefyd yn wladol; ac fe fyse'r Cymry yn amharotach i ddynwared y Seuson yn eu gwaith yn ymwrthod ag unbennath y Pab. Amryfusedd dybryd oedd peidio â gneud hynny; ac fe orfu i Gymru, ac i'r Eglwys Gatholig ei hun, ddioddef o'i blegid dros lawer oes.

Gan nad oedd rhwng dyfodiad Awstyn Fynach a'r Chwyldroad na thrydaniadur na threna i ddwyn y pell yn agos, yr oedd yn hawdd i Baba'r cyfnod hwnnw, er eu bod yn anghyfeiliorn ynghylch pyncia cred, gyfeiliorni yn ddirfor yn eu barn am gyflwr Cymru, o ran iaith a theimlad, ac o ran ei pherthynas â Lloiger, yn enwedig gan eu bod-nw yn barnu pob peth ar bwys adroddiada urddasolion Seisnig. Fe geisiodd y Paba bob amser, ar bwys y tystioleutha a ddygid ger eu bron, neuthur barn deg rhwng gŵr a gŵr a rhwng cenedl a chenedl; ond fe naeth rhai ohonynw yn ddifwriad gam â Chymru am nad oeddenw yn gwybod cimin amdani â Phaba diweddarach.

Ond os cyfeiliornodd yr Eglwys Gatholig mewn tywyllwch, fe bechodd yr 'Eglwys' Brotestannadd yn erbyn goleuni. Er fod hon mewn cyfleustra i wybod teimlad y Cymry, ni pharchodd-hi ddim arno. Yr oedd hyd yn noed ei henw-hi yn taflu sarhad arnynw – Eglwys Loiger! Y fath fargen wael i'r Cymry – Eglwys Loiger yn lle Eglwys y Byd: Eglwys y Seuson yn lle Eglwys y Pawb!

Ond pa fodd y gall eglwys gwlad a chenedl neilltuol fod yn eglwys gatholig ne gyffredinol? a pha fodd y gall eglwys fod yn eglwys wirioneddol, os na fydd-hi yn gatholig? Sect ydi pob eglwys neilltuol; ac er darfod sefydlu Sect y Seuson trwy gyfrath, nid oedd iddi fwy o awdurdod na'r secta erill, a sefydlwyd wrth fympwy eu cychwynwyr. Ond yr oedd y Cymry, wrth ymuno â sect eu darostyngwyr, heblaw gneud eu hunen yn euog o heresi, yn amharchu eu hunen. Gwybyddwch, os na wyddochi eisys, ddarfod estyn cortynna'r sect hon hyd i Gymru, nid yn unig er mwyn ymwelwyr Seisnig a Chymry Seisnigadd, ond hefyd er mwyn yr holl genedl. 'D alle fod i'r gyfriw sect gan hynny ddim gwell amcan nag oedd i'r Achosion Seisnigeiddiol, a sefydlwyd yn ddiweddarach gan Seisgarwyr Ymneilltuol.

Pa ennill i Gymry oedd cael sect Seisnig yn gyfnewid am yr Eglwys Gatholig? A gafodd-hi archesgob iddi ei hun? A oedd ei holl esgobion a'i holl offeiried-hi yn Gymry? A oedd-hi yn well, ie, a oedd-hi cystal ei moesa ag o'r blaen? A ymddyrchafodd-hi mewn dysg a dyalltwriath? A fagodd-hi cystal beirdd ag Aneurin Gwawdrydd a Dafydd ab Gwilym? A fedrodd-hi lunio chwedla byd-enwog fel y Mabinogion?

Y mae yn wir y cafodd-hi gyfieithiad rhagorol o'r Bibil gan y Dr. Morgan (diolch i'r mynach a'i haddysgodd-o); ond pa beth atolwg a naeth-hi â'r Bibil hwnnw oddieithyr ymgecru ynghylch ei athrawieutha, a diystyru'w orchmynion-o? 'D wyf i ddim yn credu fod cimin o gaddug ar Gymru rhwng y 'Diwygiad' Protestannadd a'r 'Diwygiad' Methodistadd ag y mynne'r Methodistied inni gredu, na'i bod-hi o dan rwysg y Methodistied a'r mân secta erill wedi mynd mor ddiriwiedig ag yr heure'r Fyddin Iach ei bod-hi; ond y mae yn sicir ei bod-hi yn fwy anfucheddol o gryn lawer yn ystod rhwysg y Sect Sefydledig, ac yn fwy rhagrithiol o lawer iawn yn ystod rhwysg y secta ansefydledig, nag oedd-hi o'r blaen.

Gan allu, fe allodd 'Eglwys' Loiger, trwy gymorth y gyfrath, ddymchwelyd yr Eglwys Gatholig yng 'Hymru; ond wedi cael y tir yn rhydd iddi hi ei hunan, 'd allodd-hi byth ymgadarnhau ynddo; a pha fodd y gallesid disgwil iddi ymgadarnhau, a hitha yn rhy 'styfnig i ymorwedd ar y teimlad cenhedlig?

Gwaith y Duw ag y mae yn hoff ganddo amriwiath ydi dosbarthu dynion yn llwytha, yn ieithodd, yn boblodd ac yn genhedlodd; ac ni all nad aflwydda'r sect a ymdery yn erbyn y trefniad hwnnw.

Paham, er engraff, yr aflwyddodd yr Hugonotied, sef hen Brotestanied Ffraingc, a nhwtha unwath cyn lliosoced â'r Catholigion yn y wlad honno? Onid am iddynw ddangos eu bod yn caru'w sect yn fwy na'u cenedl? Y mae'r Eglwys Gatholig, er mwyn bod yn Gatholig mewn gwirionedd, wedi amcanu erioed neud cyfri o reddwon[45] a theimlada cenhedlig: a rhag diystyru teimlada, a hyd yn oed ragfarna, y gwahanol genhedlodd, yn un peth, y bu yn wiw ganddi arfer ei gwasanath mewn iaith farw a chyffredinol; a rhag hynny hefyd, mewn rhan, y rhyngodd bodd iddi neud yr offeren yn brif wasanath; canys yn gimin â bod yr offeiriad yn y gwasanath hwnnw yn llefaru wrth gynulleidfa trwy gyfres o weithredodd arwyddocaol, a hysbys i bob euiod Catholig, y mae-o mor ddyalladwy i bawb o bob gwlad â phe bydde-fo yn llefaru wrth bob cenedl yn ei hiaith ei hun.

Ond er gneud ei gora, fel hyn ac fel arall, i briodi crefydd â greddw ymhob gwlad ac ymhob oes, hi a fethodd rai gweithia, fel yr awgrymisi o'r blaen; a hyd yn oed pan y *tybid* ei bod-hi yn methu, fe fydde hynny ei hun yn peri agos gimin o niwed iddi â phe byse-hi wedi ei phrofi yn euog. Fe dybiwyd unwath ei bod-hi yn gwrthwynebu undeb ac annibyniath yr Ellmyn; ac ar y dybiath honno y marchogodd y pab Luther ar ei ymgyrch ry lwyddiannus yn erbyn y Pab o Rufan. Fe dybiwyd fod y Frenhines Elsbeth yn fwy cenedlgarol na'r Frenhines Mair; ac o achos y dybiath anghywir honno y cwympodd Catholigath gyda Mair, ac yr ymddyrchafodd Protestaniath gydag Elsbeth. Y mae gwybodath hanesyddol a phrofiad chwerw wedi argyhoeddi'r Catholigion yn fwy nag erioed na lwydda eglwys Crist ddim yn hollol, os na bydd-hi ar unwath yn gatholig ac yn genhedlig — yn gatholig er mwyn ennyn parch, ac yn genhedlig er mwyn ennyn cariad.

---

[45] Greddw-on: Greddf-au. Y mae tafoda'r Cymry eisys wedi troi meddf, gweddf, gwddf, &c., yn feddw, gweddw, gwddw, &c.

Am 'Eglwys' Loiger yng 'Hymru, nid oedd hi na chatholig na chenhedlig. 'D oedd-hi ddim yn gatholig, am mai sect ddiweddar oedd-hi, a sect cenedl neilltuol. 'D oedd-hi ddim i'r Cymry yn genhedlig: hynny ydi, 'd oedd-hi ddim yn Gymroadd, am mai sect y genedl Seisnig oedd-hi, yr hon genedl yr oedd gan y Cymry, tra y buwyd yn eu cadw-nw yn gaeth, lai o achos i'w charu nag un estron-genedl arall.

Er fod gan y sect sefydledig gywirach credo a gweddeiddiach gwasanath nag oedd gan y secta ansefydledig; eto, er gweuthaf y rhagorieutha hyn, ebrwydd y gorfu'r secta erill arni yng 'Hymru; a hynny, yn llawer, o achos eu bod-nw yn y dechra yn fwy Cymroadd na hi. 'D oedd y rheini chwaith ddim yn Gymreigadd eu gwreiddin, am hynny nid mawr a fu'w cynnydd hwytha. O'r adeg y diddymwyd Catholigath, nid ymdeunodd un grefydd dros Gymru oll oni chododd

SECT NEWYDD Y METHODISTIED;

a chan fod hon yn sect Gymreig – yn *racy of the soil*, fel y dywed y Seuson, hi a rwygodd ffynhonna'r dyfnder mawr (a ffenestri'r nefodd hefyd a agorwyd, medd rhai); ac ar wyneb y rhyferthwy hwnnw o deimlad Cymreig, fe'i dyrchafwyd-hi yn ebrwydd goruwch yr holl secta erill.

Er mai ymblaid grefyddol oedd-hi, ac felly o anghenraid yn ddarfodedig; eto, hi a allase gadw ei safle yng 'Hymru yn hwy o lawer nag y gnaeth-hi, oni byse ddyfod chwant arni i ymgystadlu â'r secta erill mewn codi tai cwrdd i ymwelwyr Seisnig a Dic-Siôn-Dafyddion. Gan na fynne'r Seuson ymostwng i ymuno â sect a gawse'i chredo o Genefa a'i ffurf yng 'Hymru, a gweled o'r Methodistied Seisgar fod y Dic-Siôn-Dafyddion yn brinnach nag y tybiesid eu bod, nw a gymellason Gymry uniaith i ddyfod i mewn i'w tai cwrdd, er mwyn gallu ohonynw ddwedyd fod yr 'achos mawr' Seisnigaidd yn llwyddo. Fe hudwyd llawer o benweinion i ymuno â'r *Inglis Cosys* hyn; rhai er mwyn dysgu

Seusneg; rhai er mwyn rhoi ar ddyall eu bod yn medru Seusneg,
ac erill er mwyn petha erill sy'n rhy ddirmygus i'w henwi yn y
dyddia hyn.

Oddi ar y Methodistied Cymreig y dygwyd y rhan fwyaf o'r
rhain, yr hyn beth a'u gwanhaodd-nw yn fawr. Y mae yn wir y
cyfrifid y rhain hefyd yn euloda o'r Corff, tra bu'r Corff yn eu
cynnal ag arian; ond pan y teimlasonw eu bod yn alluog i gynnal eu
hunen, ne'n hytrach pan y gwrthododd yr euloda Cymreig gynnal
dynionach oedd yn eu diystyru nhw a'u hiaith, fe ymrwygodd y
sect yn ddwy; ac wedi ymrwygo, buan y dihoenodd y ddwyblaid.
Wrth feithrin Seisnigath fe fynwesodd Methodistiath wiber a'i
brathodd-hi o'r diwedd â brath marwol.

Fe barodd ymddiriwiad prysur Methodistiath syndod nid yn
unig i'r Methodistied eu hunen, ond hefyd i'r secta erill.

Cyn hyn, yn wir, fe lawenychase'r Annibynwyr, pan
wybuonw eu bod wedi mynd cyn lliosoced â'r Methodistied. Yn
y man, fe gafodd y Bedyddwyr, a secta erill, achos i lawenychu am
yr un peth: ond pan welsonw'r Corff yn marw ar garlam, fe droes
eu llawenydd yn alar ac yn ofon; canys nw a deimlason fod un
o brif golofnau Ymneilltuath a Phrotestaniath yng 'Hymru wedi
ymollwng, ac nad allen nhwtha ddim yn hir rwystro'r trychineb a
ddigwyddodd iddi hi.

Fe dwyllwyd yr holl secta yn eu hystadega; canys pan oeddenw
yn tybied eu bod yn gryfion yr oeddenw mewn gwirionedd wedi
mynd yn weinion iawn. Tua thrigian mlynedd cyn eu trangc, yr
oeddenw yn gallu ymffrostio eu bod yn lliosocach nag y buonw
erioed; ond cyfri manus yr oeddenw ac nid grawn: canghenna
crin ac nid rhai ir, heb ystyried mai hyrddwynt cymedrol a dycie
i chwalu ymath y rhain i gid. 'D oeddenw ddim yn ystyried fod
y rhan fwyaf o'u heuloda wedi mynd yn esgeulus, a bod eu plant
mor ddi-doriad ag anifeilied. 'D oeddenw chwaith ddim yn cofio
nad oedd eu cynnydd mewn rhifedi wedi'r cwbwl ddim yn
cyfateb i gynnydd y boblogath, a'u bod yn colli mwy o'u plant
eu hunen nag oeddenw yn eu hennill o'r byd. Heblaw hynny,

yr oedd pob sect, ers talm hir cyn ei marw, wedi mynd yn ddwy
sect, sef, yn un Gymreig ac yn un Seisnig; ac er nad oedd dim
cydymdeimlad rhwng pob dwy a'i gilydd, yr oedd y naill fel y llall
yn ymarfer â phob rhiw gastia i'w galluogi eu hunen i ymgynnal;
a braidd nad oedd y secta Cymreig wedi mynd mor anffyddol ac
anfoesol â'r rhai Seisnig.

Er mor ddiriwiedig yr euthe corff y genedl, yr oedd yng
'Hymru weddill nid bychan o ddynion pwyllog, duwiolfrydig,
a Chymroadd gyda hynny, ac wrth weled ohonynw nad oedd y
secta gan mwya na Chymroadd na Chatholig, nw a ddechreuson
alaru ar Brotestaniath, a hireuthu am eglwys ag sydd ymhob gwlad
'yr un ddoe, heddiw ac yn dragywydd': eglwys a fydde'n gyfaddas
i'r Groegied a'r barbaried hefyd, i'r Cymry ac i'r Seuson, ac a
fydde'n ddigon cref i fynnu ei gwrando pan yn dadla dros genedl
fach yn erbyn cenedl fawr.

Hyd yn noed y pryd hwnnw, yr oedd y llid oedd rhwng
cenedl a chenedl, a rhwng dosbarth a dosbarth yn yr un genedl;
her y gorchfygwr a gwaedd y gorchfygedig, a'r aflywodrath
cyffredinol, yn arwyddo fod Armagedon y boblodd ger llaw; a
phwy, eb y rhain ynddyn eu hunen, a ddichon, drannoth ar ôl y
frwydyr, gyfryngu yn effeithiolach, a gneuthur heddwch tecach
na'r teyrn cadarnaf ar y ddeuar, sef y Pab? Onid ydi-o eisys,
meddenw, wedi dadla dros y Gwyddyl a'r Pwylied a brodorion
Affrig a'r Ind; a phaham na ddadleua-fo drosom ninna yr un
ffunud? Ac od oes grym yn ei air-o yn awr, pa faint mwy o rym a
fydd ynddo wedi'r ysiger y Seuson a'r Prwsied, a gormeswyr erill,
yn y rhyfel mawr?

Nid gweled ymhell yr oedd y dynion hyn: gweled yr oeddenw
yr agos yn eglurach na'u cymdogion. Yr oeddenw yn gwybod
o'r blaen fod Eglwys Rhufan yn eglwys gyffredinol, ond ofni
yr oeddenw y cyfarsange'r cyffredinol ar y neilltuol, ac felly yr
ymgolle'r genedl yn yr eglwys, eithyr erbyn yr amser yr ydwi yn
sôn amdano, yr oeddenw wedi dyfod i wybod yn amgenach.

Truenus i'r eitha a fyse cyflwr Cymru yn yr amser hwnnw,

pan oedd yr ymbleidia crefyddol yn ymfalurio, o achos eu
hanffyddlondeb i'r iaith a'r efengyl yr ymddiriedodd Duw iddynt
amdanynw, oni byse fod yr Eglwys Gatholig yn ymgodi yn raddol
o ganol yr adfeilion. Araf a fyse'i chynnydd hi hyd yn hyn, am
mai estronied ac nid Cymry oedd y rhan fwyaf o'i hoffeiried-hi;
a distaw hefyd, am y gallase-hi trwy godi ei llef yn yr hewlydd
gyffroi rhagfarn y Protestanied.

'D ydan ni, y Catholigion, ddim o'r rhai sy'n llawenhau
yn yr anhrefn a fydd yn wastadol yn cyd-fynd ag ymddatodiad
crefydda, canys yr ydani yn cydnabod fod gau grefydd yn well nag
anghrefydd, a gau grediniath yn well nag anghrediniath; eithyr y
mae yn sicir na fyse'r Cymry ddim yn troi i mewn i'r 'ddinas ag
iddi sylfeini,' pe na byse'r gwyntoedd yn dymchwelyd eu pebyll.
Fel y darfu i 'sgytiada natur gymhwyso'r ddeuar yn gyfaneddle i
ddyn, felly y darfu i ddymchweliad pob peth ddarparu Cymru i'r
Eglwys Gatholig. Er hynny ni fyse-hi byth yn gallu ymgodi ar y
tir lle y cwympodd y cyfundeba erill, pe nad ymbwysase-hi ar y
teimlad cenhedlig. Y hi, bellach, er ei bod yn gatholig, oedd yr
unig eglwys wir Gymreig.

At y Cymry yn unig yr oedd ei gwyneb hi yng 'Hymru.
'D oedd-hi ddim yn cefnogi Dic-Siôn-Dafyddion a dyfodied o
Seuson i barhau mewn anwybodath o iaith y wlad, trwy frysio i
ddarparu iddynw wasanath Seisnig; eithyr yr oedd-hi yn barod i
gyflogi gwŷr cymwys ymhob ardal i ddysgu Cymraeg i'r rhai oedd
yn meddwl byw yng 'Hymru; ac yr oedd-hi yn cael fod gneuthur
hynny yn rhatach o lawer na chodi *Inglis Cosys.* Yr oedd hi yn
ymogelyd rhag rhannu'r genedl, yn ôl arfer y secta, trwy gefnogi'r
dosbarth cryfaf ar y pryd yn erbyn y dosbarth gwanna, pa un
bynnag ai y cyfoethogion ynte'r tlodion, ai perchenogion tir ynte
deilied tir, ai y cyflogwyr ynte'r cyflogedigion, a fydde'r dosbarth
cryfa. Ennill ymddiried pob dosbarth trwy ennill ffafar y genedl
oedd ei hamcan hi; ac wrth neuthur lles i'r genedl yr oedd-hi yn
gneuthur cyfiawnder i bob dosbarth ohoni. Yn gytunol â hyn, ni
fydde-hi odid byth yn ymyrryd â helyntion dosbarthol; ond pa

beth bynnag a neid tuag at gyfuno'r Cymry yn genedl, a'u cadw
rhag ymgolli yn y Seuson, hi a gefnoge hynny yn ddihafarch. Hi
a enillodd serch y dosbarth puraf o Gymry y cyfeiriwyd ato, yn
gyntaf oll trwy gydnabod cyfreithlondeb gweithredoedd

Y CYFAMODWYR CYMREIG;

trwy gyflogi cyfreithwyr i'w hamddiffin, pan erlynid-nw; a thrwy
dalu eu dirwyon pan y cosbid-nw. Cymdeithas o wŷr ifingc wedi
ymdynghedu i ddileu o'r Dywysogath holl olion Seisnigath oedd
y Cyfamodwyr hyn. Yr oedd y rhain yn nac-hau siarad Seisneg
ag un Sais a fydde wedi byw dros ddwy flynedd yng 'Hymru; yn
nac-hau siarad Seisneg mewn na Senedd na Chyngor na brawdle
nac ymchwilfa nac mewn unriw swyddfa gyhoeddus; yn nac-hau
dweud eu neges yn Saesneg mewn na gorsa na siop nac unlle
arall; yn nac-hau ysgrifennu llythyra Seisnig at fasnachwyr yn
Lloiger; yn ymgadw rhag darllen un hysbysiad Seisnig nac un bil
Seisnig a yrre y rheini iddynw; yn ceisio cadw allan o bob rhiw
swydd gyhoeddus bob estron a fydde heb ddysgu iaith y wlad;
yn ymwrthod â phob ymgeisydd seneddol a fydde'n analluog i
siarad Cymraeg yn rhwydd ac yn gywir; yn hwtio pob Dic-Siôn-
Dafydd, a phob Cadi-Siân-Dafydd, a fynne lefaru ne ganu yn
Seusneg mewn cynulleidfa Gymreig; yn diystyru pob rhybudd
cyfreithiol a gyhoeddid yn Seusneg; yn tynnu i lawr ac yn dinistrio
pob ystyllen ag arni enw Seisnig ar hewl ne dre yng 'Hymru; yn
dileu pob enw Cymreig a fydde wedi ei gam-lythrennu yn y
gorsafodd; ac yn taro i lawr bob gwesyn trên a weudde *Pen-all* yn
lle Pennal, a *Lenverveckn* yn lle Llanfar Fechan. Yr oeddenw hefyd
yn annog ac yn cynorthwyo'r Cymry i ymsefydlu yn sirodd Caer,
Amwythig, Henffordd, &c., er mwyn ehangu terfyna Cymru
tua'r dwyran, ac yn gwahoddi Cymry cyfoethog o'r Amerig i
gychwyn gweithfeydd o bob math yn eu hen wlad, er mwyn atal
arian a gweithwyr rhag treiglo i Loiger.

Yr oeddid wedi cychwyn gneud rhai o'r petha hyn mor fora â'r flwyddyn 1880, sef cyn bod sôn am y Cyfamodwyr Cymreig. Hyd riwbryd rhwng y flwyddyn honno a'r flwyddyn 1890, fe barhaodd Seisnigath i gynyddu; ond o hynny allan hi a leihaodd. Tua'r pryd hwnnw fe ddechreuodd cryn nifer o Gymry dreulio'u gwylia ar y Cyfandir; ac fe aeth rhai gwŷr ifingc ono i fyw ac i gael eu haddysgu mewn ieithodd a llenoriath dramor; ac o weled a gwybod mwy nag a allasenw'i weled a'i wybod yn Ynys Prydan, nw a beidiason â meddwl nad oedd na chenedl na iaith na llenoriath o fath y rhai Seisnig. Yn wir, braidd na themtiwyd-nw ar ôl hynny i synio am bobol a phetha Seisnig fel y bydde Dic-Siôn-Dafyddion yn synio am bobol a phetha Cymreig. Heblaw hynny, nw a welson fod iaith a hen lenoriath y Cymry yn fwy eu bri gan genhedlodd y Cyfandir na chan y Seuson, ac fod dysgedigion Ffrainc a'r Alman yn cyfri *Cymro dwyieithog* yn fwy dysgedig o'r hanner na *Sais uniaith*. Hyd yn oed yn Athrofeydd Seisnig Caergrawnt a Rhydychen, yr oedd Cymry ifingc yn dysgu digon i synio yn uwch am eu hiaith a'u llenoriath eu hunen, er cynifer o betha oedd ono i'w temtio-nw i synio yn is amdanynw.

Yn awr, pan y canfu gwerin Cymru fod gwŷr ifingc oedd wedi gweld y byd ac wedi astudio llenoriath y prif genhedlodd, yn mynd yn llai Seisnigadd ac yn fwy Cymroadd mewn canlyniad i'r hyn a welsen ac a glywsenw, hi aeth i feddwl nad oedd Seisnigath ddim, o anghenraid, yn beth eang, ac nad oedd Cymroath ddim o anghenraid yn beth cyfing; ac y bydde yn anrhydeddusach iddi gan hynny ymwasgu at *Gymry amrywieithog* nag at *Ddic-Siôn-Dafyddion hanner-ieithog*.

Er mwyn dangos ichi ebrwydded y cynyddodd dylanwad Cymroath ar y cyffredin, mi a ddylwn ddweud wrthochi fod llawer hyd yn oed o Ddic-Siôn-Dafyddion cyn y flwyddyn 1890 wedi ymuno â chymdeithas hanner Cymreig o fath *Kumree Fidd*; a'u bod â thafod ac â phin yn canmol y Gymraeg a'r ymddeffroad Cymreig *yn Seusneg*.

Yr oeddenw, er mwyn ennill cyhoeddusrwydd, ac er mwyn

marchogath ar y teimlad Cymreig i bwyllgora, i gynghora, ac i'r Senedd, yn ymostwng i ddibennu pob arath trwy ddwedyd mewn Cymraeg go ddyalladwy: 'Oes y byd i'r iaith Gymraeg.' Ond dena'r cwbwl; canys pe byse'r arath yn *Gymraeg i gid* ni fyse gobath iddi gael ymddangos yn y newyddiaduron Seisnig: a rhad enwogrwydd yn unig oedd euloda

KUMREE FIDD, Y WELSH NATIONAL SOCIETY, Y WELSH FEDERATION SOCIETY, &c.,

yn ei geisio. Yr oeddenw yn ysgrifennu hefyd agos gimin ag yr oeddenw yn ei siarad o blaid petha Cymreig; ond gan mai yn *Seusneg* y byddenw yn ysgrifennu, yr oeddenw yn disgwil i olygwyr papura a llyfrynna Cymreig droi eu hysgrifa-nw i iaith y wlad; ac yr oedd y rheini, er mwyn cael rhiwbeth i fritho'r dalenna, yn ddigon ynfyd i neud hynny; er eu bod yn gwybod yn burion na wastraffe cymin ag un Cymro chweuthus mo'i amser i ddarllen cyfieithiad anystwyth o ribi-di-res Seisnig a sgrifensid yn arddull y *Daily Telegraph.*

Gan na fynne'r Cymry hyn ddim ymdrafferthu i ddysgu Cymraeg gweddol gymeradwy eu hunen, prin y rhaid dweud na fyddenw ddim yn dysgu Cymraeg i'w plant, ac na fydde y rhan fwyaf ohonynw ddim yn mynd i addoldai Cymreig, chwaith. Er fod y conachod rhagrithiol ac anghyson hyn yn ailadrodd amryw betha a glywsenw'u dweud gan Gymry cywir, eto, gan eu bod yn gyfriw rai ag oeddenw, 'd allasonw ddim gneud cimin o les i Gymru â neuthonw iddyn nhw'u hunen.

Y mae y dynion 'eiddewig' hyn, sy'n ymgripio i amlygrwydd ar hyd cefna rhai cadarnach, erioed ar y ddaear; ac os na wyddanw beth sydd dda, nw a wyddan cystal â neb beth a lwydda; ac y mae eu bod nhw wedi ymgasglu mor gynnar i gydweithio â'r Cymroeuthwyr yn arwyddo fod Cymroath wedi cynyddu yn gyflym yn y tir.

O'r pryd hwnnw hyd y Chwyldroad Cyffredinol fe fu yng
'Hymru *ddau fath o Ddic-Siôn-Dafyddion*, sef Dic-Siôn-Dafyddion
oedd yn ceisio lladd y Gymraeg trwy ddweud yn ei herbyn-hi
yn Gymraeg a Seusneg, a Dic-Siôn-Dafyddion oedd yn ceisio
ei lladd-hi trwy ei chamol yn Seusneg yn unig; a'r olaf oedd y
dosbarth perycla.

Heblaw dylanwad y dynion mwya cyffredinol eu gwybodath,
dyma beth arall a gywilyddodd y werin bobol i gadw eu
cenedligath, sef, yr ymdrech a'r aberth a nae y Gwyddyl er
mwyn mynnu'w hawlia cenhedlig. Ond y mae yn deg adde mai
Gladstone a Seuson erill a lwyddodd i neud ymddygiad y Gwyddyl
yn gymeradwy yng'olwg corff y Cymry. Seuson a'u dysgase-nw
o'r blaen i gasáu eu cefndyr o achos y gwahaniath crefyddol oedd
rhyngddynw, a Seuson a'u dysgodd-nw drachefn i ymgyfathrachu
â'u cefndyr er gwaetha'r gwahaniath crefyddol hwnnw; ond wedi
dyfod o'r perthynasa hyn i nabod ei gilidd, 'd allodd gwleidyddion
Lloiger byth mwyach eu gyrru-nw yn benben. Gan fod y ddwy
genedl o dan yr un ddamnedigath, a'u bod ill dwy gyd â'i gilidd
yn wannach na'r genedl Seisnig, nw a welson mai trwy ymgadw
ynghyd y gallenw weithio allan eu hiachawdwriath. Yr oedd y
ddwy genedl wedi llwyddo i fynnu rhiwfaint o ymreolath er ys
talm; ond byth ni lwyddasenw i gaffal eu hannibyniath pe na byse
i Loiger ddirymu ei hun wrth ymguro yn aflwyddiannus yn erbyn
Rhwsia a'r cenhedlodd Lladinig.

Fe fu'r frwydyr ola ar wastadedd Belg – Armagedon Ewrop –
yn ergid aneule nid yn unig i benrhyddid Protestannadd ond hefyd
i gaethwasanath cenhedlig. Yr oedd y Seuson, fel y Rhufeinied
a'r Sbeunied o'u blaen, wedi mynd i feddwl eu bod wedi ymledu
ac ymgadarnhau cimin fel nad oedd dim perig iddynw gwympo
mewn byr amser i blith cenhedlodd o'r drydedd radd; a chan fod y
genedl Seisnig yn alluog odiath i beri cynnen a rhyfel rhwng mân
genhedlodd a'i gilidd, ac yna, i'w gorchfygu-nw yn eu gwendid,
ac i arosod eu hiaith arnynw, yr oedd-hi yn hyderu y bydde'r
Seusneg ymhen ychydig oesodd yn iaith gyffredinol. I genedl na

chododd ohoni, yn ôl Hegel ac erill, ddim un metaffysegwr neu elfonwr, yr oedd y cyfriw hyder plentynnadd yn ddigon naturiol; a hynny yn fwy, wedi i'r Dysgawdwr Kirchoff o Halle gyhoeddi tua'r flwyddyn 1890 fod rhifedi siaradwyr prif ieithodd y byd y pryd hwnnw fel hyn: Y Sjinaeg yn 400,000,000; yr Hindwstanaeg dros 100,000,000; y Seusneg yn agos i 100,000,000; y Rhwsiaeg yn 70,000,000; a'r Ellmynaeg yn 57,000,000, – heblaw y rhai oedd yn ei llefaru-hi yn yr Amerig, &c.

Ond yr oedd y breuddwydwyr Seusnig hyn heb ystyried fod y Rhwsiaeg yn y Dwyran, a'r Ellmynaeg yng 'Ogledd Amerig, yn cynyddu yn gyflymach na'r Seusneg; ac fod un peth mawr arall oedd yn cynyddu yn fwy na'r tair iaith ynghyd, sef, yr awydd am annibyniath cenhedlig, yr hwn awydd oedd yn cymell pob cenedl i gadw ei hiaith ei hun. 'D oeddenw chwaith ddim yn ystyried mai oblegid fod y Seusneg yn iaith cenedl orchfygol ac eang ei llywodrath, ac nid oblegid ei bod hi yn iaith ragorol, yr oedd cynifer o bobol o genhedlodd erill yn ei dysgu.

Yn awr, pan y collodd y Seuson eu henwogrwydd, a'u harglwyddiath ar genhedlodd erill, fe beidiodd estroniod yn gyffredin â dysgu eu hiaith-nw. Iaith hwylus iawn, y mae yn wir, oedd y Seusneg i bawb oedd yn ewyllysio siarad yn rhwydd, ac heb feddwl yn fanwl; ond er pan aeth y byd yn fwy dysgedig ac athronyddol, yr ydys yn teimlo mai yr hyn oedd yn gneud y Seusneg yn gymeradwy yn amserodd yr anwybodath sy'n ei gneud-hi yn anghymeradwy yn yr amserodd hyn. Y mae y Cymro, a'r Indiad, a'r Swlw, yn rhy athronyddol, wrth natur, i allu treuthu eu meddwl yn fanwl a phendant mewn iaith ag y mae ei brawddega-hi mor anwrthdroadwy â'r Seusneg; a hynny ydi'r achos paham y mae y cenhedlodd hyn, wrth siarad Seusneg, mor chwannog i ddechra agos bob brawddeg hefo *It is*. Dena un rheswm paham y mae yr Ellmyneg hefyd wedi gorfod ar y Seusneg yn 'heyrnasodd Gogledd Amerig.

Er fod Cymru wedi cael darn helaeth o Orllewinbarth Lloiger yn gyfnewid am y tiriogeutha a berthyna iddi gynt yng

'Ogleddbarth a Deheubarth Lloiger, eto, gwlad fechan ydi Cymru fyth wrth lawer o wledydd erill; ac er fod mwy o lawer yn siarad Cymraeg yn awr nag a fu erioed o'r blaen, eto, ychydig ydi nifer y rhai sy'n ei siarad hi wrth y rhai sy'n siarad amryw ieithoedd erill. Er hyn oll, y mae Cymru a'r Gymraeg yn ein sutio ni yn well nag un wlad ac iaith arall. Heblaw hynny, 'd ydys mwyach ddim yn diystyru gwlad ac iaith am eu bod-nw'n gyfing eu cylch, mwy nag ydys yn diystyru dyn am ei fod-o'n fychan ei gorffolath. Y mae yn ddigon i ni ein bod yn UN o genhedlodd y ddeuar; a pha genedl arall a all honni ei bod-hi yn amgenach na hynny? *West of England* y gelwid ein gwlad; *West English*, ie, *Wild West English*, y gelwid ein cenedl; ac *English patois* y gelwid ein hiaith, yn y dyddiau gynt. Er ys blynyddoedd bellach, y mae arnaf i a'm gwlad a'm hiaith enwa gwell: CYMRO, CYMRU, a CHYMRAEG.

Pan y safo plentyn am ennyd bach ar lan y môr, a gweled wyth o bob naw ton yn ymdaflu ar y traeth hyd at ei draed, fo all yn hawdd dybio fod y môr yn llenwi pan y bydd-o mewn gwirionedd yn treio. Pe safe-fo yn hwy yn yr un fan, fo wele mai cilio yn ôl y mae y môr, er fod amriw o'i donna-fo yn rhuthro ymlaen, a hyd yn oed yn gwlychu tywod oedd yn dechra sychu. Cyffelyb i'r plentyn hwn oedd hyrwyddwyr

YR ACHOSION SEISNIGEIDDIOL:

pan y gwelenw don Seisnig yn ymdaflu dros y sir hon a'r ardal arall, nw a lefen yn gyffrous: 'Wele, y mae y llanw mawr Seisnig yn dyfod! ac ofer ydi codi clawdd na rhagfur yn ei erbyn-o; am hynny ymroddwn i'r anocheladwy trwy dorri ffosydd i ddwyn y môr yn gynt i'r lan; canys gora po fyrraf y parhao tymor y trosi.'

Yr oedd y rhain yn pryderu ynghylch yr amser a fydd am nad oeddenw wedi darllen hanes yr amser a fu. Ni wydden nhw, druen, fod ton Seisnig wedi ymruthro dros orora Cymru fwy nag unwath o'r blaen, ac wedi ymgilio drachefen. Ni wydden nhw y bydde'r Gymraeg yn ennill tir mewn un cyfeiriad, pan y byddai hi yn colli tir mewn cyfeiriad arall. Ni chlywsen nhw y bu'r wlad rhwng y Gonwy a'r Ddyfrdwy unwath yn drigfa Seuson. Ni ddarllensen nhw mo weithia hen feirdd Cymru, ac am hynny ni welsenw mo gân Lewis Glyn Cothi, yn yr hon y mae-o yn edliw i drigolion tre Fflint, yn amser Rhyfel y Rhosynna, eu bod yn rhy Seisnigadd i ddyall ac i brisio'i gerdd-o. Y fath berthynas sy rhwng anwybodath hanesyddol ac anieithgarwch!

Am fleunoried y Catholigion, nw a ddyfalson pa beth a fydde hynt y cenhedlodd yn yr amser a fydd, trwy astudio gogwydd y byd yn eu hamser nhw'u hunen, a'i hanes-o yn yr amser a fu. Am fleunoried y secta, ymbalfalu yr oedden nhw mewn tywyllwch, heb *fynnu* edrych yn ôl, ac heb *allu* edrych ymlaen; ac am hynny pa reola ne athrawieutha bynnag a lunienw, ne pa un bynnag ai Achosion Seisnigeiddiol ai athrofeydd a godenw, nw a gaen achos cyn hir, i ddadneud pob peth a neuthenw yn flaenorol ne, o leia, i gyfadde fod amgylchiada newyddion wedi dyrysu eu hen gynllunia-nw. Yr oedd Rhagluniath, er mwyn eu difetha-nw, yn eu gwthio i amryfusedd cadarn.

Hwyrach y mynnech ofyn imi paham na fyse'r Methodistied Cymreig yn sefyll ar ôl iddynw ymwahanu oddi wrth yr *English Presbyterians*, a pha fodd na fyse Eglwys Loegr yn sefyll ar ôl ei dadsefydlu a'i gneuthur mewn enw yn Eglwys Cymru. Am liaws o resyma; eithyr un ohonynw y mae yn wiw imi grybwyll amdano yn y fan hon: sef, fod

Y SURDOES SEISNIG

wedi dylanwadu ar y secta Cymreig eu hunen. Yr oedd yn well gan eu swyddogion a'u huchelwyr-nw, er yn fora, bladru[46] eu tipyn Saesneg na'u Cymraeg. Mewn hen newyddiadur sydd yng'hadw yn y Gywreinfa Gymreig, yr ydys wedi cofnodi dadleuath a fu mewn cynhadledd Ymneilltuol; ac yn honno ni cheir odid un

---

[46] Pladru: *flaunt (display)*.

frawddeg ag ynddi enw ac ansoddair Cymreig na berf Gymreig chwaith, os gadewir allan yr *io* sy'n derfyniad i ferfau. Yr oedd eu hiaith, os cofnodwyd eu geiria-nw yn gywir, yn debyg i iaith Wil Bryan yn *Rhys Lewis* (yr hon, gyda llaw, ydi'r unig nofel dda a naed gan Ymneillduwr, oddieithyr nofel dair cyfrol John Hughes o Lyrpwll, sef *Methodistiath Cymru*).

Y mae yn ymddangos y bydde llawer o'r pregethwyr Cymreig yn bur Seisnigadd eu hiaith hyd yn oed wrth bregethu; canys fe geir yn eu pregetha liaws o eiria Seisnig, a mwy fyth o ymadroddion Seisnigadd. Yr wyf yn casglu mai celcio'u pregetha y bydde'r pregethwyr hyn o lyfra Seisnig, a'u bod yn rhy ddiog i estyn ac i agor geiriadur pan na ddoe gair Cymreig yn ebrwydd i'w co.[47] Ond efalle'u bod yn derbyn eu gwobor yr un fath â phe bysenw yn gneud eu gwaith yn dda. Hyd y gwelis i, odid byth y byddenw yn egluro rhiw athrawiath trwy gyfeirio at ffaith ne chwedel yn *Hanes Cymru*; cyfeirio y byddenw yn hytrach at riwbeth a welsonw mewn hanesyddiath Seisnig, ne yn chwedloniath y Groegied a'r Rhufeinied. Nid trwy chwilio mewn *llyfra* chwaith y cawsonw'r petha estronol hyn, eithyr trwy chwilio mewn *llyfr* a'i enw *Handy Book of Illustrations for Busy Preachers.* Y maenw yn dyfynnu llawer o'r *Pretty Bits from the Poets,* ond ychydig iawn ohonynw sy'n dyfynnu dim o weithia'r hen feirdd Cymreig. Hyd yn oed pan y byddanw yn adrodd rhiwbeth a lefarodd ne a sgrifennodd Groegwr ne Rufeiniwr ne Ffrangcwr, yn *Seusneg*, ac nid yn Gymraeg na Groeg na Lladin na Ffrangcaeg, y byddanw yn adrodd y rhiwbeth hwnnw. Tybed fod y gwŷr hyn yn meddwl mai y Seusneg nid yn unig a fydde, ond mai y hi hefyd ydoedd, y iaith gyffredinol er dechreuad y byd?

Fe wŷr yr ifengaf ohonoch chi mai tramorwr heb fedru dim Seusneg oedd Napoleon I; ond wrth ddarllen treuthoda ac areithia

---

[47] Nid dyma'r unig reswm; canys ni a wyddom fod rhai yn arfer geiriau Seisnig a hanner-Seisnig o rodres, ac ereill er mwyn bod yn Negroaidd eu harddull, ac felly yn fwy digrifol. – *Y Cofnodwr.*

a phregetha Cymreig y cyfnod Ymneilltuol, braidd nad ydys yn fyn 'hemtio i gredu mai Sais uniaith oedd-o. Er engraff, mi a welis mewn rhifyn o hen newyddiadur a'i enw *Cymro* arath Gymreig a lefarse D.D. mewn Cymanfa Fethodistadd yn Llyrpwll, wrth adal y gadar; ac ynghanol yr arath honno fe neir i Napoleon, 'gal y Seuson,' lefaru wrth gymdeithion anffyddol yn Seusneg, gan ddwedyd: '*Gentlemen, who made all these stars?*' Pe yn Seusneg y llefarse Napoleon hyn wrth rai nad oeddenw yn dyall Seusneg yn well nag ynta, y mae yn sicir y byse'i ofyniad-o yn anatebadwy am fwy nag un rheswm.

Mewn pregeth o waith ne gyfieithiad gweinidog arall, yr ydys yn rhoi y syniadau a dreuthodd Napoleon yn St. Helena am Iesu Fab Duw, *i gyd yn Seusneg!* Pa beth, gyfeillion ifingc, a fydde'ch syniad-chi am gyflwr fy ymennydd i, pe'r adroddwni wrthochi *yn Seusneg* yr hyn a ddwedodd Napoleon ar y gadlong *L'Orient*, ne ar ynys St. Helena? ne pe'r adroddwn wrthochi yn *iaith y Ffrangcod* yr hyn a ddwedodd Dug Wellington ar fryn St. Jean? *Onid adrodde pob dyn call eiria dyn arall naill ai yn ei iaith ei hun, ne ynte yn iaith y dyn hwnnw?* Yn wir, y mae yn rhaid fod Seisnigath ne Brotestaniath ne riwbeth wedi gneud llawer o'n cyndada naill ai yn ynfyd ne ynte yn anwybodus dros ben.

Er mwyn dangos ichi ymhellach fod llawer o Ddic-Siôn-Dafyddion yn yr hen secta Cymreig hefyd, mi allwn brofi ichi fod

YNG 'HYWREINFA BRAICH-Y-CAFN

garreg ag arni yr ysgrifen hon: '*Welsh Calvinistic Chapel, A.D. 1868.*' Fe ddwedir fod y capel y perthyne'r garreg hon iddo yn sefyll ym Mraich-y-cafn yn y ganrif o'r blaen; ac y gallase-fo fod yn sefyll hyd heddiw oni byse ddarfod ei losgi hyd lawr mewn ffrwgwd a fu rhwng y Methodistied a'r Annibynwyr. Yn agos i'r man y safe hwn y mae dau hen gapel arall, y rhai y mae un ohonynt yn awr yn ystordy a'r llall yn ysgol. Yr ydys wedi crafu ymaith yr ysgrifen sydd ar wyneb y ddau hyn; eithyr nid mor lwyr chwaith fel na ellir canfod o agos y geiria hyn: *'Tabernacle Baptist Chapel, 1866.'* *'Siloam, erected* A.D. 1872. *Lease granted by Lord Penrhyn, and the Hon. G.S.D. Pennant.'* Er nad oes ar y ddau hyn ddim i ddangos mai hen gapelau *Cymreig* ydynw; eto fe ellir dwyn tystioleutha i brofi mai rhai Cymreig oedden nhwtha, ac mai tra Chymreig oedd yr ardal hefyd pan yr adeiliwyd-nw.

Yr ymddygiada plentynnadd hyn, ynghyd â phetha erill, a barodd i'r Cymry disyml ddiflasu ar y secta, Cymreig a Seisnig; ac a'u gyrrodd-nw i freichia'r Eglwys Gatholig; yr hon a naeth yn hysbys ei bod hi yn barod i sefyll ne syrthio, yng 'Hymru, gyda hen iaith y wlad. Fe fu cyfnod pan oedd y Cymry Cymreig hyn yn llai eu rhifedi na'u gwrthwynebwyr; yn ddirmygedig yng'olwg erill, ac yn eu golwg eu hunen hefyd. A chan eu bod-nw gan mwyaf yn ddistawach, ac yn rhy swil i gymell y Cymdeithasa Seisnigeiddiol i gyfrannu arian tuag at godi a chryfhau Achosion Cymreig, yr oeddid yn tybied eu bod yn wannach nag oeddenw. Gwan ne amgen, nw euthon, er y flwyddyn 1880, fel tŷ Dafydd, yn gryfach gryfach; ac fe aeth eu gwrthwynebwyr, fel tŷ Saul, yn wannach wannach; yn gymin felly, fel pan y daeth dydd dial y cenhedlodd darostyngol, a dydd iachawdwriath y cenhedlodd darostyngedig, yn agos ac yn sicir, y brysiodd y rhan fwyaf o weddill y Dic-Siôn-Dafyddion i ymgysylltu â'r dosbarth a ddangosase'i hun yn gnewyllyn y genedl.

Yr oedd y cyfnewidiad mor gyflym nes bod yn ddigrifol, ie, yn wyrthiol. Yr oedd y rhai oedd o'r blaen yn siarad Cymraeg yn fawr eu llediaith, erbyn hyn yn gallu siarad mor Gymreigadd â neb. Fe glywid y rhai fu gynt yn fudion mewn cymdeithas Gymreig, yn awr yn llefaru yn eitha llithrig. Yr oedd y rhai a fysen yn rhy ddall i ganfod eu dyletswydda cenhedlig, yn awr yn gweled yn eglur; a'r rhai a fysen yn rhy gloff i fynd allan gyda byddinodd Cymru, y pryd hwn yn rhedeg yn siongc. Yr oedd y rhai a euthen yn gynddeiriog gan drymder y dwymyn Seisnig, bellach wedi ymiacháu, ac yn eistedd yn eu hiawn bwyll. Fe ddengys y

petha hyn mai rhiwbeth bas, afrïol,⁴⁸ a dibara oedd y Seisnigath a
ddaeth dros Gymru, ac fod calon nesaf i mewn pob Cymro, yr un
ffunud â'i gydwybod-o, yn wastadol yn lleisio yn gywir, er ei bod
weithia yn lleisio yn wan.

Gan mai trwy gymorth cenhedlodd Catholig, ac yn
arbennig trwy gyfryngiad ein santadd Dad o Rufan, y cawsoni'n
hannibyniath, ac yr ehangwyd terfyna'n gwlad, yr oedd
diolchgarwch a gwladgarwch, heb enwi dim rhesyma erill, yn ein
cymell-ni i dderbyn y grefydd a ddygodd i ni ac i'r byd oll y fath
werthfawr ymwared. Diolchwn i Dduw am ein bod bellach yn

UN GENEDL, O RAN TEIMLAD,
IAITH, A CHREFYDD.

Yr ydani eto yn ein hysgolion yn dysgu llawer iaith; eithyr un, sef
yr hen Gymraeg, ydi iaith ein senedd, ein llysodd, ein capela, a'n
heulwydydd. Yr ydani eto, er mwyn bod yn wybodus, yn ceisio
cofio rhifedi ac enwa y gwahanol grefydda a fu yng 'Hymru;
eithyr un grefydd, sef yr un Gatholig, yr ydani yn ei phroffesu.

Diolchwn hefyd i sbrydodd yr hen Gymry pybyr a ffyddiog,
a dreuliason eu hamser, eu dawn a'u harian i gynorthwyo'u
cydwladwyr i ymgadw yn genedl, trwy eu cynorthwyo-nw
i gadw'u hiaith. Ni chawsonw ddim tâl na nemor o ddiolch
tra yn y cnawd; yn hytrach, gwaradwydd: a phan y peidid â'u
gwaradwyddo, yr oeddid yn eu diystyru. Ond gan eu bod yn
obeithiol, ni all eu bod yn drist. Yr oeddenw yn ymladd dros eu
hiaith, eu gwlad a'u cenedl, wrth ola seren ag oedd yn dwyn dydd
i'w chanlyn. Yr oeddenw yn gweled y tir pell – CYMRU FYDD;
Cymru lonydd. Ac O! mor dda ydi cael llonyddwch oddi wrth yr
ymgecrath grefyddol ag oedd yn gwahanu ac yn crebachu'n tada

---

⁴⁸ O *an* a *rhiol: unreal.* Y mae 'rhiol' yn air cyffredin yn yr ardal y magwyd y Cofnodwr
ynddi.

yn y dyddiau gynt.

O hyn allan, ni a gawn hamdden i ymddatblygu, i wybod, ac i weithio. Ni a allwn bellach weithio yn ddidrwst ac yn ddibryder, am nad ydani ddim yn ofni un genedl, nac yn cenfigennu wrth un genedl arall. Er pan beidiodd y Seuson â bod yn feistried arnoni, y maenw yn frodyr ini; ac fel y mynneni iddyn nhw ymddwyn tuag aton ni, felly yr ymddygwn ninna tuag atyn nhwtha. Ac er ein bod, a ni yn genedl, yn wahanol ein hiaith iddyn nhw, eto, tra bo gynnoni yr un Tad, yr un ffydd, a'r un bedydd, y mae yn ddiama gynnoni y gallwn ni a nhwtha gytuno â'n gilidd yn Ynys Prydan bron cystal ag y cytunwn ni â'n gilidd ar ôl hyn yn y gorffwysfaodd llonydd sydd o dan y dywarchen werdd, ac yn y Breswylfa Heddychlon sydd y tu hwnt i'r wybren las.

★ ★

Ateb i Ohebydd. Y mae ysgolhaig o'r Cyfandir yn gofyn imi mewn llythyr paham na wnawn i ddodi cydnod rhwng y rhagenw diarbwys (*unemphatic*) a'r ferf a fyddo o'i flaen, fel yr wyf yn gwneuthur pan y byddo berf yn ddiberson, yn lle dieithro dull y geiriau trwy gyfuno y cyfryw ragenw â'r ferf? Am ddau reswm: ym mlaenaf, rhag peri gormod o drafferth i'r cysodwyr. Yn ail, rhag cael fy nghyhuddo o wneuthur peth anarferol a diawdurdod. Diau y gŵyr y gohebydd cystal â minnau fod cyfuno rhagenw â berf *bersonol* yn hen arfer dra chyffredinol hyd yn ddiweddar. Nid wyf yn cyfrif berf yn y 3ydd pers. unig. yn ferf bersonol; ac am hynny mi a fyddaf, er mwyn gochel amwysedd, yn arfer rhagenw bob amser naill ai o'i blaen neu ar ei hôl; ond er mwyn gochel amwysedd arall, megis trwy ysgrifennu *bydd-o* yn *byddo*, mi a fyddaf yn dodi cydnod rhwng berf yn y ffurf a elwir yn '3ydd pers. unig.' a'r rhagenw dilynol, pan y byddo hwnnw yn ddiarbwys. Cofied ysgrifennydd y llythyr fy mod wrth gofnodi yr araith hon yn amcanu dangos pa fodd y llefarwyd hi. Oni buasai hynny, mi a fuaswn yn arfer y rhagenwau, pa un bynnag ai arbwysig ai diarbwys, heb eu cyfuno â'r berfau na'u cysylltu chwaith â chydnod. Dylid arfer rhagenw diarbwys naill ai er mwyn eglurder neu ynte er mwyn

rhwyddineb sain, h.y. er mwyn atal cytsain yn niwedd berf rhag
dyfod yn uniongyrchol o flaen cytsain yn nechrau y gair dilynol.
Er enghraifft, y mae yn haws dwedyd: 'Os canaf i salm', neu 'Os
canafi salm', neu ynteu 'Os cana' i salm', na dwedyd, 'Os canaf
salm'. Oni buasai fod arnaf ofn y Pabyddion llenyddol sydd yn
erbyn dwyn newydd bethau i ddim oddieithr crefydd, dyblu
llafarog y rhagenwau a wnawn i i ddangos arbwys, megis 'A
glywist tü sŵn?' yn lle 'A glywist *ti* sŵn?' – *Y Cofnodwr*.

Llyfryddiaeth

I. Y TESTUN

'Breuddwyd Pabydd wrth ei Ewyllys, gan y Tad Morgan C.I.', *Y Geninen,*
Gorffennaf 1890, t. 160; Ebrill 1891, t. 84; Gorffennaf 1891, t. 169; Ionawr
1892, t. 15; Ebrill 1892, t. 23.

Emrys ap Iwan, *Breuddwyd Pabydd wrth ei Ewyllys* I, II (Wrecsam, d.d.) (Llyfrau'r
Ford Gron, rhifau 4-5). Rhagair gan J.T. Jones (John Eilian). Ail argraffiad,
Abertawe, 1977.

II. GWEITHIAU ERAILL gan EMRYS AP IWAN

Camrau mewn Grammadeg Cymreig (Dinbych, 1881).

D. Myrddin Lloyd (gol.), *Detholiad o Erthyglau a Llythyrau Emrys ap Iwan* I: Gwlatgar,
Cymdeithasol, Hanesiol (Aberystwyth, 1937). II. Llenyddol, Ieithyddol (1939).
III. Crefyddol (1940). Dyma dair cyfrol 'argraffiad y Clwb Llyfrau Cymreig',
sy'n dal yn safonol.

John Owen ac O. Madoc Roberts (goln.), *Pregethau Emrys ap Iwan* (Bangor a
Chaernarfon, d.d.).

Ezra Roberts (gol.), *Homiliau gan y Diweddar Barch. R. Ambrose Jones (Emrys ap Iwan)*
I, II (Dinbych, 1906, 1909). (Gwall argraffu yw '1900' wrth droed 'Cyflwynair'
y gyfrol gyntaf.) Y ddau 'Gyflwynair' yn werthfawr iawn, gan gyfaill agos.

III. RHAI TRAFODAETHAU

(a) Thomas Gwynn Jones, *Emrys ap Iwan. Dysgawdr, Llenor, Cenedlgarwr. Cofiant.*
(Caernarfon, 1912; Abertawe, 1978).

(b) *Darlithoedd Blynyddol Cymdeithas Emrys ap Iwan, Abergele (golygydd cyffredinol,
Haydn H. Thomas):*

Cyf. 1 a 2, 1981 a 1982: Ellis Wynne Williams, 'Emrys ap Iwan'; Gwynfor Evans,
'Ein Dyled i Emrys ap Iwan' (Yr Wyddgrug, 1983).

Cyf. 3 a 4, 1983 a 1984: R.Tudur Jones, 'Ffydd Emrys ap Iwan'; Bobi Jones, 'Emrys
ap Iwan a'r Iaith Gymraeg' (1984).

Cyf. 5 a 6, 1985 a 1986: D. Tecwyn Lloyd, 'Emrys ap Iwan a'i Gyfnod'; Hywel
Teifi Edwards, 'Emrys ap Iwan a Saisaddoliaeth: Maes y Gad yng Nghymru'r
'70au' (1986).

Tair Darlith Goffa [Cyf. 7, 8 a 9, 1987, 1988, 1989]: Dafydd Glyn Jones, 'Traddodiad
Emrys ap Iwan'; Menai Williams, 'Cysylltiad Emrys ap Iwan â Phobl Ieuanc a
Phlant'; Gwilym Arthur Jones, 'Teithi Meddwl Emrys ap Iwan'.

Ceir darlith Hywel Teifi Edwards hefyd yn ei gyfrol *Codi'r Hen Wlad yn ei Hôl
1850-1914* (Llandysul, 1989), t. 141; a darlith D.G.J. yn ei gyfrol *Agoriad yr Oes*
(Tal-y-bont, 2001), t. 45.

(c) *Eraill:*

John Hooson, 'Emrys ap Iwan', *Y Traethodydd*, 1951, t. 156.

R.T. Jenkins, 'Emrys ap Iwan', *Yr Apêl at Hanes ac Ysgrifau Eraill* (Wrecsam, 1930), t. 90.

idem, beirniadaeth ar draethawd, 'Emrys ap Iwan, Yr Arloeswr', *Barddoniaeth a Beirniadaethau Eisteddfod Genedlaethol Dinbych, 1939*, t. 133.

Saunders Lewis, 'Emrys ap Iwan', *Ysgrifau Dydd Mercher* (Aberystwyth, 1945), t. 74.

idem, 'Emrys ap Iwan yn 1881', *Meistri'r Canrifoedd* (Caerdydd, 1973), t. 371.

idem, 'Homilïau Emrys ap Iwan', *ibid.*, t. 377.

D. Myrddin Lloyd, *Emrys ap Iwan* (Writers of Wales) (Caerdydd, 1979).

Alun Llywelyn-Williams, 'Emrys ap Iwan', *Y Traddodiad Rhyddiaith yn yr Ugeinfed Ganrif*, gol. Geraint Bowen (Llandysul, 1976), t. 11.

Enid Morgan, *Emrys ap Iwan: Garddwr Geiriau*. Astudiaethau Theatr Cymru, rhif 2 (Bangor, 1980).

Enid R. Morgan, *Rhai Agweddau ar Waith Emrys ap Iwan*. M.A. Cymru (Bangor, 1972) (anghyhoeddedig).

Iorwerth C. Peate, 'Emrys ap Iwan', *Ym Mhob Pen ...* (Aberystwyth, 1948), t. 26.

Bill Wynne-Woodhouse, 'The Ancestry and Early Childhood of Emrys ap Iwan (Robert Ambrose Jones)', *Hel Achau* 21 (Gwanwyn 1987), t. 15.

IV. CEFNDIR

Trebor Lloyd Evans, *Lewis Edwards[:] ei fywyd a'i waith* (Abertawe, 1967).

Adrian Hastings, *The Construction of Nationhood* (Caergrawnt, 1997).

Trystan Owain Hughes, *Winds of Change[:] The Roman Catholic Church and Society in Wales 1916-1962* (Caerdydd, 1999).

R. Tudur Jones, *Ffydd ac Argyfwng Cenedl[:] Hanes Crefydd yng Nghymru 1890-1914*. Cyfrolau 1 a 2 (Abertawe, 1981, 1982).

idem, *The Desire of Nations* (Llandybie, 1974).

D. Tecwyn Lloyd, *Drych o Genedl* (Abertawe, 1987).

D. Densil Morgan, *Lewis Edwards* (Dawn Dweud) (Caerdydd, 2009).

Anthony D. Smith, *The Ethnic Origins of Nations* (Rhydychen, 1986).

Geirfa

Allwedd

a.	*ansoddair*	*e.g.*	*enw gwrywaidd*
adf.	*adferf*	*e.ll.*	*enw lluosog*
b.	*berf*	*S.*	*Saesneg*
e.b.	*enw benywaidd*		

Fe wêl y darllenydd yn syth fod ystyron eraill i rai o'r geiriau hyn. Rhoddir yma yn unig yr ystyron sy'n berthnasol i'r testun.

banllor *e.g.* llwyfan
calaniadur *e.g.* calendr
celcio *b.* lladrata
cenhadu *b.* caniatáu
crwmp *e.g.* pedrain, bystl
cyfarsangu *b.* gwasgu, gormesu
cyfundraeth *e.b.* cyfundrefn
chwythleisio *b.* hisian siarad
dihafarch *a.* dibetrus
dwnedwr *e.g.* gramadegwr
eithorfa *e.b.* areithfa, theatr
elfonwr *e.g.* (?)athronydd
esgoreddfa *e.b.* gwely esgor
ffrilion *e.ll.* pethau ofer
gal *e.g.* gelyn
gorthyrru *b.* llethu, gorlenwi
gweinidogion *e.ll.* gweision a morynion
gwladeiddio *b.* cywilyddio, mynd yn swil
gwrachïaidd *a.* eiddo hen wragedd
hagen *adf.* er hynny, fodd bynnag

llawgair *e.g.* llw, gair, cred
mig *e.b.* malais, sbeit
murnio *b.* llofruddio
mydumiau *e.ll.* ystumiau
pedion *e.ll.* traed
peniad *e.g.* pennawd
pipian *b.* gwichian, swnian
pladru *b.* arddangos, fflawntio
pleideb *e.g.* pleidlais
priodolion *e.ll.* priodoleddau
rheidus *a.* tlawd, anghenus; hefyd fel *e.*
rheidusion *e.ll.* tlodion
senw *e.g.* statws, urddas
tindres *e.b.* strap am bedrain march
traeth byw *e.g.* + *a.* tywod meddal, traeth gwyllt (*S. quicksand*)
trydaniadur *e.g.* (?) telegraff
Twrcomanes *e.b.* merch o Dwrci
ymogelyd *b.* gwylio, cymryd gofal
ystlen *e.b.* rhyw

CYFROLAU CENEDL

Yn awr ar gael yn y gyfres hon:

1. *Canu Twm o'r Nant.* Gol. Dafydd Glyn Jones. ISBN 978-0-9566516-0-0. Pris £15. Y casgliad safonol cyntaf oddi ar 1889 o waith 'pen bardd Cymru' (chwedl ei gyfaill Y Meddyg Du).

2. *Twm o'r Nant: Dwy Anterliwt. Cyfoeth a Thlodi a Tri Chydymaith Dyn.* Gol. Adrian C. Roberts. ISBN 978-0-9566516-2-4. Pris £15. Dwy o ddramâu'r athrylith o'r Nant, y naill heb ei chyhoeddi oddi ar 1889, a'r llall oddi ar yr argraffiad cyntaf, 1769!

3. *William Williams: Prydnawngwaith y Cymry.* Gol. Dafydd Glyn Jones. ISBN 978-0-9566516-3-1. Pris £10. Y llyfr Cymraeg printiedig cyntaf (1822) ar Oes y Tywysogion, ynghyd â detholiad o ysgrifau a cherddi'r gŵr amryddawn o Landygái.

4. *Emrys ap Iwan: Breuddwyd Pabydd wrth ei Ewyllys.* Gol. Dafydd Glyn Jones. ISBN 978-0-9566516-4-8. Pris £8. Gweledigaeth ddychanol y cenedlaetholwr mawr ym 1890 ar Gymru 2012.

DALEN NEWYDD

Dyma a ddywedwyd am gyfrol gyntaf y gyfres,

CANU TWM O'R NANT:

'Bellach dyma ddetholiad o ganeuon, areithiau ac ambell ddeialog o'r anterliwtiau a phrif waith barddonol Twm o'r Nant yn cael ei gyflwyno i ganrif newydd, gyda nodiadau manwl, geirfa a rhagymadrodd gwerthfawr.' – *Llafar Gwlad*.

'Mae Dafydd Glyn Jones wedi dethol yn ofalus o waith Twm o'r Nant – ei gerddi a'i anterliwtiau, ac mae'n ffynhonnell hollbwysig i unrhyw un yn astudio hanes neu lenyddiaeth Cymru.' – *Y Faner Newydd*.

'Dyma ddetholiad diddorol a chytbwys, wedi ei osod yn drefnus gymen. ... Cyflwynwyd rhagymadrodd eglur, hawdd ei dreulio, wedi ei rannu'n adrannau hylaw, ac sy'n trafod gwahanol agweddau ar y bardd a'i gyfnod. At hynny, cyflwynwyd nodiadau byr a pherthnasol ar ambell bwynt o dywyllwch yn y cerddi, a geirfa dra defnyddiol sy'n esbonio ystyr ambell air diarffordd. Nid oes esgus dros ddiystyru cerddi'r Bardd o'r Nant ragor.' – *Gwales.com*

'Cyfrol sy'n werth ei chael ac sy'n rhoi golwg o'r newydd ar weithiau ffraeth un o gymeriadau mawr ein cenedl.' – *Fferm a Thyddyn*.

'Dyma fenter, i'w chanmol yn fawr, gan ysgolhaig ar ei liwt ei hun. Ni fu casgliad mawr o waith yr hen Dwm ar gael ers 1889. Detholiad yw hwn o ryw bedwar ugain cerdd, o'r pum cant a adawodd, a cheir arolwg, geirfa a nodiadau tra gwerthfawr. Addewir y bydd y gyfres yn dwyn i olau dydd weithiau clasurol na buont ar gael ers hydoedd.' – *Y Casglwr*.

'[Y] mae dewis cyflwyno gwaith baledwr ac anterliwtiwr fel hyn yn awgrymu y bydd y gyfres yn herio ein rhagdybiaethau ac yn ein gorfodi i ailgloriannu statws a chyfraniad rhai o feirdd ac awduron y gorffennol.' – *Llên Cymru*.

CYFROLAU CENEDL

'Arwydd o genedl sy'n falch o'i thraddodiad llenyddol yw ei pharodrwydd i gadw testunau a fu'n gerrig milltir pwysig yn y traddodiad hwnnw mewn print. Cyfres sy'n amcanu i wneud hynny yw Cyfrolau Cenedl o wasg Dalen Newydd. ... Bydd hon yn gyfres bwysig.' – *Llafar Gwlad*.

I ddilyn yn y gyfres hon:

Beirniadaeth John Morris-Jones. Detholiad o feirniadaethau ac ysgrifau'r beirniad Cymraeg mwyaf ei ddylanwad erioed.

Rhywbeth yn Trwblo. Casgliad o straeon ysbryd gan ein prif awduron.

Cerddi Goronwy Owen. Y casgliad cyflawn cyntaf oddi ar 1911!

Llythyrau Goronwy Owen. Y golygiad cyntaf oddi ar gasgliad J.H. Davies, 1924, sydd bellach yn llyfr eithriadol brin.

O Lwyfan yr Anterliwt. Golygfeydd o waith diddanwyr poblogaidd y 17-18 ganrif – Huw Morys, Huw Jones, Elis y Cowper, Siôn Cadwaladr, John Thomas ac eraill. Defnydd na bu ei fath, gan fechgyn ar y naw!

Drych y Prif Oesoedd. Golygiad newydd – y cyntaf oddi ar 1902! – o argraffiad 1740 yn gyfan.

Daniel Owen: Y Dreflan. Pob beirniad yn ei thrafod, ond neb yn ei gweld!

Daniel Owen: Gweithiau Byrion. Detholiad newydd o weithiau llai y gŵr o'r Wyddgrug.

Samuel Roberts: Cynhyrfwch! Cynhyrfwch! Casgliad newydd o weithiau'r radical mawr o Lanbrynmair.

Taith y Pererin. Mawr ei fri a'i ddylanwad yn ei ddydd. Gadewch inni ei weld!

Brut y Tywysogion. Diweddariad yn iaith heddiw o brif ffynhonnell Gymraeg hanes Cymru'r Oesau Canol.

Sieffre o Fynwy: Brut y Brenhinedd. Yr hen glasur celwyddog, camarweiniol mewn Cymraeg modern.

Gildas: Coll Prydain. Trosiad newydd o 'lyfr blin' ein hanesydd cyntaf!

Nennius: Hanes y Brytaniaid. Ffynhonnell cymaint o hanes a chwedl. Trosiad Cymraeg newydd.

... A rhagor – yn cynnwys ambell syndod!

OS BYW AC IACH!

ac *OS CEIR CEFNOGAETH!!*

DALEN NEWYDD